翼の教会

【流浪の教会完結編】

帰れない故郷を望みながら

Fukushima
1st Bible
Baptist
Church

佐藤 彰

いのちのことば社

目 次

はじめに …………………………………………………… 4

これまでの歩み（写真）…………………………………… 6

1章：Diary（手記）〜3・11から ……………………… 15

2章：Message（説教）〜被災牧師からあなたへ ………… 111

　「大きなあわれみの中で」
　（年末感謝礼拝・建設中のチャペルでの礼拝）………………… 112

　「悲しくて、うれしい日」
　（入堂礼拝）…………………………………………………… 120

3章：Testimony（証言）〜流浪の旅の中で……………… 133

　「ゆだねること」
　立石 渚（福島第一聖書バプテスト教会教会員）………… 134

　「めぐみのつばさ」
　小山 睦（福島第一聖書バプテスト教会教会員）………… 137

旅の終わりに ……………………………………………… 139

秋田県
- 盛岡
- 秋田
- 岩手県
- 宮古市

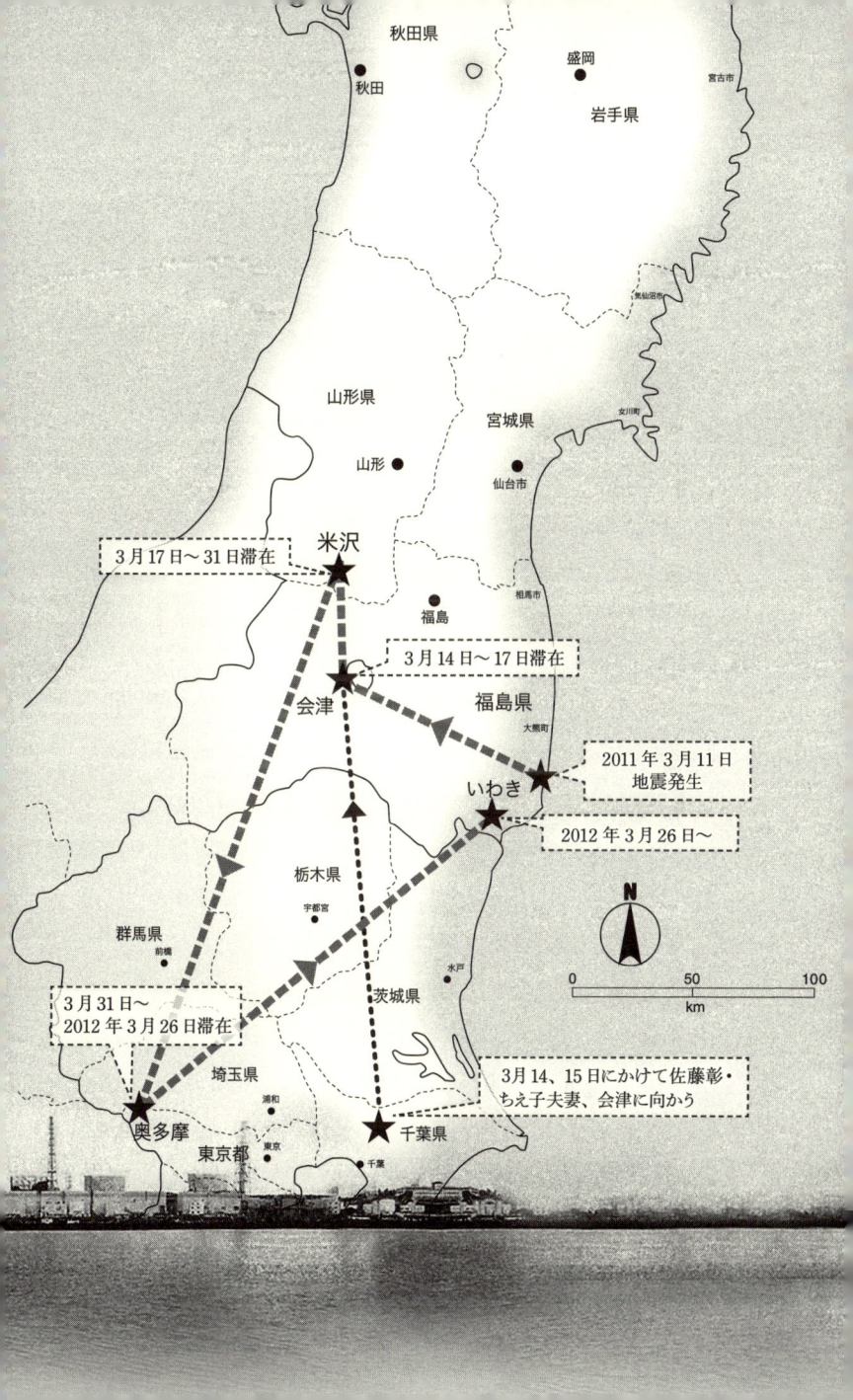

山形県
- 山形
- 宮城県
- 仙台市
- 気仙沼市

3月17日～31日滞在 — 米沢 ★

- 福島
- 相馬市
- **3月14日～17日滞在** — 会津 ★
- 福島県
- 大熊町
- いわき ★ — **2011年3月11日 地震発生**
- ★ **2012年3月26日～**

- 栃木県
- 宇都宮
- 群馬県
- 前橋
- 水戸
- 茨城県

3月31日～ 2012年3月26日滞在 — 奥多摩 ★

- 埼玉県
- 浦和
- 東京都
- 千葉県 ★
- 千葉

3月14、15日にかけて佐藤彰・ちえ子夫妻、会津に向かう

N
0 50 100 km

はじめに

ひ とまずの帰還（この2年を振り返って）

　思いもかけない流浪の旅路でした。2年前の3月11日に襲った巨大地震と大津波、続く原発事故により私たちは4つのチャペルを失い、教会員の多くは自宅を追われ、故郷は閉鎖となりました。

　この2年間、いつも明日が見えず、目の前を生きることに精一杯でした。あの日故郷を追われて、避難所を転々とした教会員のうち約60名は、会津の教会に身を寄せ、3日後にはまさかの吹雪の峠越えをし、山形県米沢の教会に移動、約2週間そこでお世話になりました。文字通り、嵐の中の逃避行でした。

　他方、その他の教会員の多くは全国各地に散らされて、厳しい避難生活を余儀なくされ、福島県浜通りの北と南に残された教会員も、母教会を失ってさみしい日々を送ることになりました。

　その後、故郷への帰還が難しいと悟った私たちは、はるばる東京まで旅を続け、以後約1年に渡り、奥多摩福音の家キャンプ場のご厚意に甘える形で、共同生活を送ることとなりました。その間も、実に多くの方々が国内外から私たちのもとに駆けつけ、寄り添い、支援してくださいました。私たちは、何と不思議な旅をしてきたのでしょう。神は何とあわれみ深いのでしょう。

　奥多摩での1年が過ぎ、私たちは約30名で、福島県に舞い戻る決断をしました。本陣を失い、肩を寄せ合いながら各地を転々とする、疲れ切った敗残兵のように思える時もありました。そしてその果てにたどり着いたのが、いわき市泉であり、そこに建つ

翼の形をした教会です。

　翼は、未だ入れない故郷をはるかに望む、私たちの心です。もしかしたら、地上の旅路を終えて、天の故郷を望む、すべての人の心でしょうか。そういえばこの翼の教会は、故郷の方角を向き、先端には仮納骨堂「天望室」が設けられています。背後には、旧会堂に飾られていた「永遠」を表わすアクリル油彩画が2階ロビーから見守るようにさげられています。後にその上の窓に、ふるさとに残して来た4つのチャペルを描くステンドグラスが入る予定です。

　まぎれもなくこの教会は、東日本大震災が生んだ、復興記念教会ならぬ、復活・復興祈念教会です。不思議なのは、約70年前初代宣教師が教会設立当初「いずれいわきにも伝道するのですよ」と話しておられた点です。

　離れ離れになったヨセフが、13年の歳月を経て、なつかしい父や兄たちと再会して心震わせたような日が、いつの日か、私たちにも来るでしょうか。

　「神様が、捕虜となっていた人々をエルサレムへ連れ戻された時は、まるで夢でも見ているようでした。…旅人が砂漠でオアシスを見つけた時のように、私たちをすっかり元気にしてください」(旧約聖書　詩篇126篇1-4節　リビングバイブル訳)

　　　　　　　　　　　　　　２０１３年初夏　　佐藤　彰

これまでの歩み ▶ ▶ ▶

2011

【3月12日】
避難開始「流浪の旅」へ（右はじは教会員。
自衛隊のトラックに乗せられて）

【3月11日】
教会4軒隣の家屋倒壊

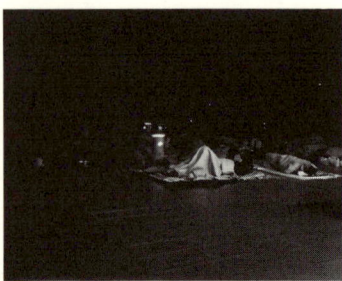

体育館での寒い夜

原発事故

教会近くの津波の後

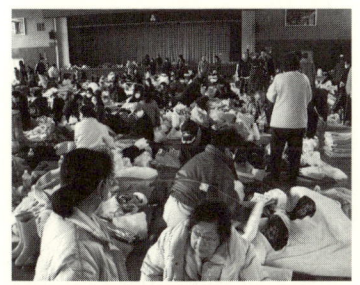

避難先での様子 ▶ ▶ ▶ 2011年

被災者でごった返していました（手前二人は教会員）

【3月19日】
涙の手作り卒業式＆修了式

【3月15日】
恵泉キリスト教会会津チャペルに約60名集合。3日間お世話になりました

【3月31日】
2週間お世話になった米沢を涙と感謝の別れで後にし、奥多摩福音の家（東京）に移動

【4月】
奥多摩での生活がスタート！
初登校を祈って送り出しました！

【3月17日】
雪深い恵泉キリスト教会ミーコ記念ホール（米沢市）に移動

避難先での様子 ▶ ▶ ▶ **2011**年

2011

【4月15日】
津波で天に召された教会員が発見され、南相馬市にて葬儀

【5月8日】
避難先（須賀川市）で天に召された教会員を偲んでの礼拝

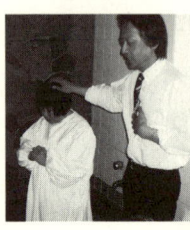

【4月17日】 バプテスマ式

【5月14日】
仙台市で天に召された教会出身者の葬儀（いわき市にて）

【5月2日】
入院先で召された教会員の葬儀（いわき市にて）

【5月15日】
家族6人でのバプテスマ

避難先での様子　2011年 ▶ ▶ ▶ 2012年

【11月26日】エル・シャローム泉（教会アパート）起工式

【12月12日】
大熊町に一時立入りすると、なんと大野チャペル隣地にはダチョウが！

【12月31日】
激動の一年を振り返っての大晦日証し会

2012

【12月24日】
クリスマスイブ礼拝

【1月1日】
震災翌年の奥多摩での元旦礼拝

9

避難先での様子 ▶ ▶ 2012年

【3月25日】
奥多摩での最後の礼拝に、多くの方々が駆けつけてくださいました。バプテスマ式もありました

【5月25日】
避難先（東京都）で天に召された教会員の葬儀

【3月26日】
涙の別れをし、奥多摩からいわき市へ引っ越し

【6月4日】
震災が結び合わせた二人の結婚式

【4月1日】
平キリスト福音教会をお借りしての礼拝

【6月25日】 泉のチャペル起工式

避難先での様子　2012年 ▶ ▶ ▶ 2013年

【11月6日】
アルフィー・サイラスコンサート

2013

【1月1日】
新年を迎え、元旦礼拝を建築中の泉のチャペルにて！

【11月28日】
避難先（栃木県）で天に召された教会員の葬儀

【3月7日】
イスやテーブルの搬出のため、防護服を着て9人で大野チャペルへ

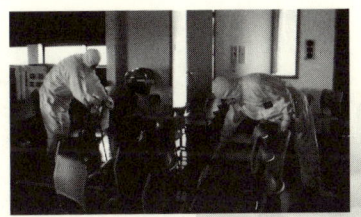

エル・シャローム　泉
泉のチャペルすぐ近くにお年を召した方たちのためのアパートを建設

【12月18日】
防護服を着て、放射線の線量を測り、除染しながら大野チャペルからイス搬出

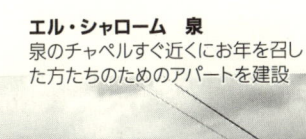

避難先での様子 ▶▶▶ 2013年

2013

泉のチャペルの土台には聖書を埋めた

外観がほぼ完成

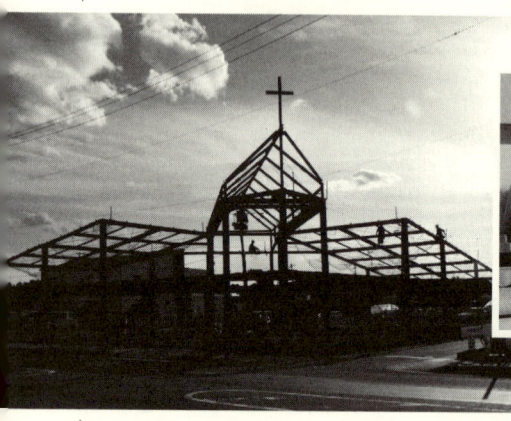

鳥の形をした鉄骨現る

【2月24日】入堂礼拝
被災地特有の建築工事遅れの中でも、感慨深く礼拝が行われた

彫刻家湯川氏による十字架取り付け

【3月9日】結婚式
写真の姉妹は、避難先で兄弟と出会い、福島に戻り、新会堂第1号の結婚式となった

避難先での様子 ▶ ▶ ▶ 2013年

【4月6日】納骨記念会
避難生活の中で天に召された2人の兄弟を礼拝堂正面の故郷の方角を向いた「天望室」に納骨した

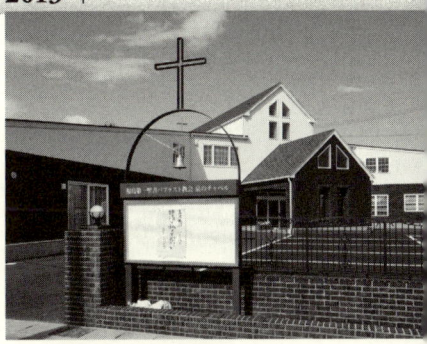

【5月11日】献堂式
泉のチャペル「翼の教会」献堂式

【3月16日】感謝のコンサート
ユーオーディアオーケストラが来られ、いわき市在住の方、仮設住宅に避難中の方が約300名来会。よき開所式となった

【5月11日】
献堂式400名来会。上：献堂式でスピーチをする佐藤将司副牧師。下：佐藤彰牧師

【3月31日】バプテスマ式
アメリカの教会から寄贈されたバプテスマ槽で2人がバプテスマを受けられた

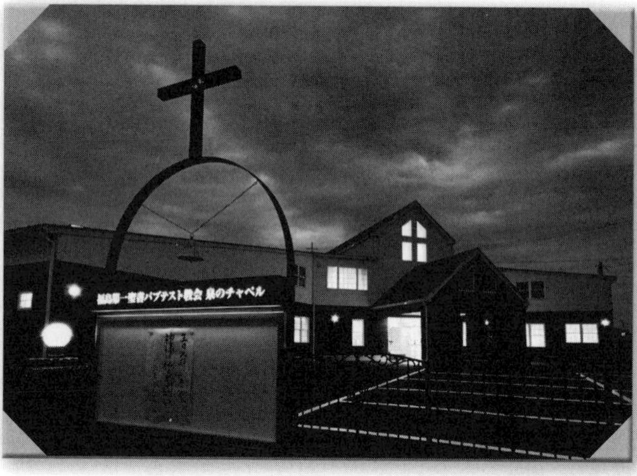
福島第一聖書バプテスト教会　泉のチャペル

1章

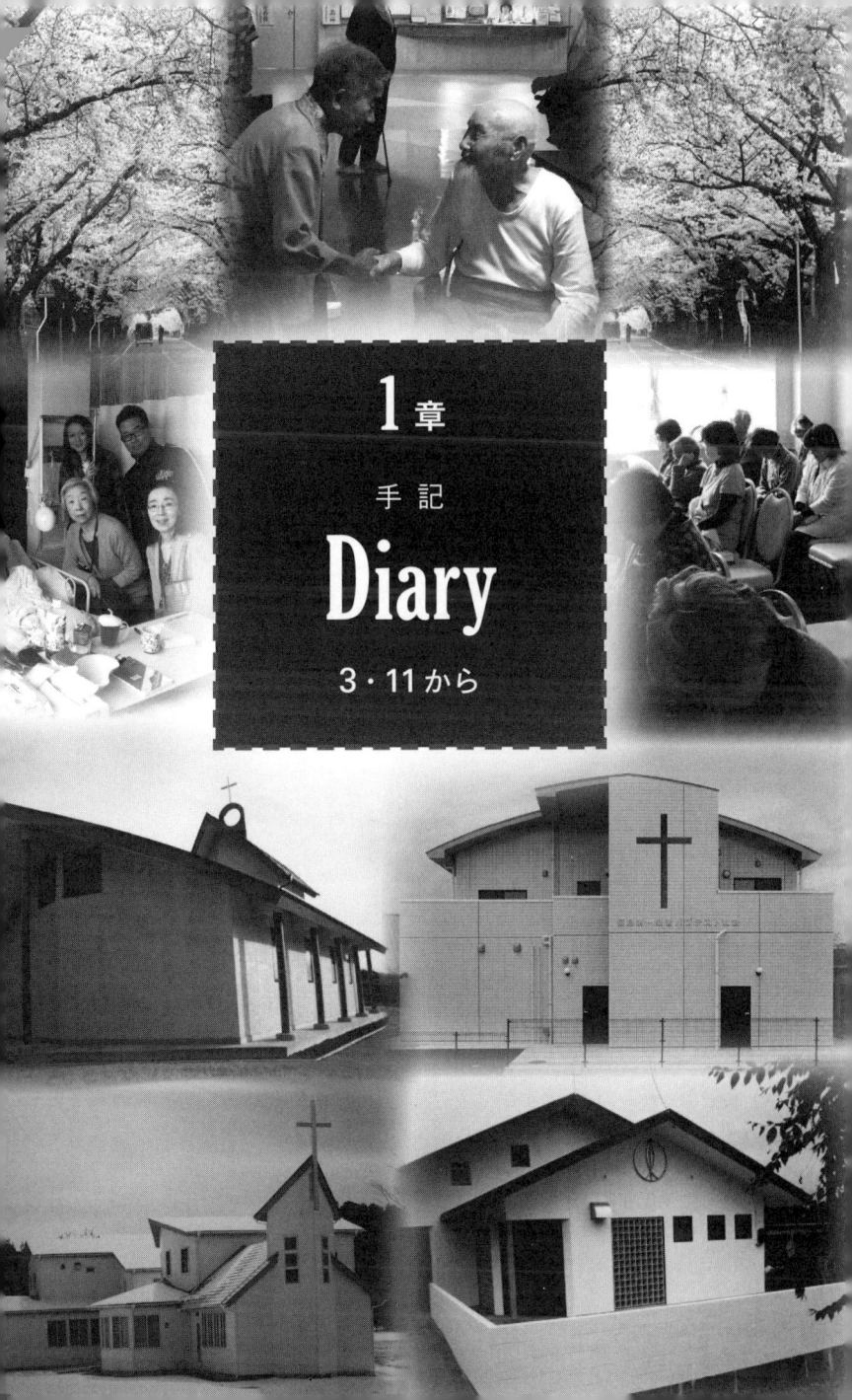

手記

Diary

3・11から

2012年1月

避難生活報告　その47

「温もりを旅して」

　被災体験を語る講演会のため、大分から、福岡に移動しました。暖かく迎えていただき、ありがたいです。雪の九州には驚きましたが、教会と人々の温もりに包まれています。明後日は、一路北海道に発ちます。

１月26日　大分を後にして

佐藤　彰

避難生活報告　その48

「まさか」

　九州は寒くて、果たして札幌はどれ程だろうと考えていたら、先ほど機内放送があって、到着地はマイナス11度だということです。うー、寒！

　けれども今回、外気の寒さに反して、九州でお会いした人たちの人情や人柄が、とりわけ温く感じられ、このつながりは間違いなく震災がもたらした出会いであると、ありがたく思っています。私は以前から、各地を回っていましたが、これほど数えきれないくらいの人々との短期間の出会いは、初めてです。

　そういうわけでもっぱらの不安は、どこかで何度かお会いしているはずの人に、「はじめまして」と挨拶してしまったらどうしよう、

とか、あるいは私のごちゃごちゃのメモ帳に起因して、整理の賜物がないでは済まされない、講演依頼のダブルブッキングなどの、許されないうっかりをしてしまったらどうしよう、です。今のところ、一昨日宿泊した福岡のホテルに充電器を忘れてきたり、いつぞやの集会の会場の「国立婦人会館」を、「国立」（地名）と読み違え、直前に気がつき、国立に行くのを止めて大切な集会をすっぽかす誤りを免れて、冷や汗をかいたことくらいです。

「くらい」ではないか……。

まさかいつの日か、妻に向かって「どちら様でしたか」などと、聞くことはないだろうけど……。まさか。

1月28日　福岡発札幌便にて

佐藤　彰

避難生活報告　その49

「ディアスポラとレムナント」

大分、福岡から北海道に飛んで札幌、小樽と回り、1週間ぶりに羽田に向かっています。九州も寒かったものの、北海道の雪は半端ではありませんでした。各地を巡りながら、新しくいわき市に建設中のアパートと教会堂の打ち合わせと、3月の引っ越しに向けての段取りに奔走しています。現在避難中の東京・奥多摩ではオランダのテレビ局が、今日から3日間の取材のために私を待っています。

すべて、時の流れのままにです。私たちは置かれた時代と場所で、賜物に従ってやれるだけやってみる以外ありません。どうやら当初思ったより、福島に戻る人は少なくなりそうです。寂しい

ですが、一人ひとりの人生で、それぞれの決断です。迷って、当然です。いまだ私たちは、最終着地地点もわからないまま浮き草のように暮らしているのですから。東京で再就職した人はここに残り、様々なことを考えて家族や親族の元へ旅立つ人もいます。

　震災直後、ばらばらになって10か月も経ちました。これまで決断に次ぐ決断と、スピードが問われてきました。ぐったりする異様な生活の中で、踏ん張る力はみるみる落ち、何にしても当初あったはずの決意が、次第に下降線をたどり、やるせなさが募ります。

　1年も過ぎると、散らされた人はそれぞれの地で生活を営み、近くの教会に通い、根を張るのも当然です。旧約聖書の時代、バビロンに捕らわれの身になった人たちは、70年もの歳月が流れ、故郷に戻る人と残る人、そして他の国に旅立った人もいたでしょう。

　震災によって散らされたディアスポラ。そして、残されたレムナントの民。幾度もそんな流浪を繰り返すうちに、次第にいくつもの群れに枝分かれし、様々なドラマがつづられたのでしょうか。これもまた、震災後の姿です。果たしてこの流転の日々、いつまで続くのでしょうか。

1月30日　白銀の札幌上空で
佐藤　彰

＊ディアスポラ…散らされた人たち

避難生活報告　その50

「いつかそんな日が来るだろうか」

　ハワイ行きの飛行機に乗りました。ホノルルからシアトルに向かい、24日に戻ります。18日間の、長旅です。直前まで、奥多摩町役場を訪れ、この1年間の感謝の報告をしていました。ばたばたと、いつものようにぎりぎりの状態で準備をし、空港に着き飛行機に飛び乗りました。

　車で成田に向かい、方向音痴の私は、ナビ通り首都高に乗ってしまい、危うく間に合わないのではないかと途中血の気が引きました。エンプティーランプは点滅し始めるし、ガス欠恐怖をかかえながら何とか空港にたどりつき、ロビーのパソコンで急ぎ旅行保険の申し込みを終えて、搭乗口に滑り込んだという次第です。フーッ。

　そもそも今朝は、『続・流浪の教会』の原稿チェックをし、その後奥多摩町の役場で感謝の報告をしてから、30分でスーツケースに荷物を詰め込み、車を走らせました。いつものことですが、一瞬間に合わないのではないかと、青くなりました。ただ、このパターン、新種の病なのか（？）知りませんが、一生治らないような気もします…。

2月6日　夜9時

　お祈り、感謝します。乗り込んでみたら、飛行機の中は割合空いていました。そこで、3座席分をベッド代わりにして横になり、3時間ばかりも寝たでしょうか。今は、すでに窓の外はホノルル上空で、実にさわやかな朝明けが広がっています。日本時間真

夜中２時です。ハワイ便は若者や、サーファーも多くて、そこここで観光ツアー本が開かれ、美味しい食べ物の話やどこに行こうか等々の話が飛び交っています。そういえば、こんなにぎわいの日々もあったなと、ほのぼの眺めていました。

　それにしても、ハワイに行くのに一人旅はないでしょう、と一人かってにすねてみました。しかし、大空で出合った日の出は、胸がすくようでした。せっかくハワイまで来たのだから、旅を力にするほかありません。本当に、人生はいろんな旅があるものだと、改めて震災渦中に置かれた身を思い返し、感慨にふけっています。東京に身を寄せている人も、散らされてしまった人たちも、みんな本当によく頑張ったと思います。身近なところでも、副牧師やその家族、伝道師も、大人から子どもまで、具合のいい人悪い人、皆よく踏ん張ったと。もしも、周りに誰もそう言う人がいないならば、私が代わりに言いましょう。お疲れさま、そして、御苦労さま。もちろん、いちばん身近な妻にも。それから、震災後とみにやせ、ちょっと心配な、離れて暮らす愛犬パピにもです。

　パピ、元気か…。

　私たちは明らかに、この震災道中で、身を削っていると思います。いのちか寿命かわかりませんが、だからここまで生き延びたのだと思います。けれどいのちは、もともと何かのため、誰かのために、削るため与えられたのだとも思います。イエスさまは「一粒の麦は、死ねば実を結ぶ」と教えましたが、私たちはいのち一つ、身一つでここまで何とか、綱渡りの旅をしてきました。助け合ったり、時にはぶつかったりしながら。家庭内で、それぞれに流れ着いた場

所で。やっぱり、よく頑張ったのだと思います。心が折れそうになっても、頭を抱えるような時も、諦めずにここまでたどり着いたと。

　窓の外は、もうすっかり夜が明けて、朝日が広がっています。静かに何度でも、「夕暮れには涙が宿っても、朝明けには喜びの叫びがある」(詩篇30篇5節)の約束は本当だと、かみしめましょう。

　　　　　　　　　2月6日　朝7時半ホノルル上空

　2月14日火曜日、ホノルル時間の、今は夜11時半、シアトル行きの飛行機に乗っています。搭乗口を通過してすぐ、呼び止められ、何かと思ったらシートが変更になり、入ってみたら座席が前方の広くてゆったりとしたクラスに変更になっていました。座るとすぐ飲み物が出てきて。きっと、デルタ航空カウンターで、親切に荷物の重量オーバーや、手荷物検査縦列スキップ等の融通をきかせてくださったあの方だ、とひらめきました。2日前、ホノルルでもたれた震災講演会に手土産をもっておいでくださり、航空会社にお勤めと名のられたその人だ、と。

　振り返ると、今回のハワイ講演ツアーは、一時が万事、このようでした。出会う人皆に、よくしていただきました。そして、そのほとんどが、初対面でした。

　夜の便だったので、日中「天国の海」という意味のラニカイ・ビーチに、連れて行っていただきました。なるほど、ある年アメリカでもっとも美しい海に選ばれたと聞いていましたが、まるでユートピアのようでした。

　遠くで、犬が戯れ、海を飼い主と泳ぐ光景を目にしました。いつかこんな日が私にも来るだろうかと、ふと頭をよぎりました。やがて、震災がすっかり過ぎ去って、浜辺に寝そべりながら、家族

や犬たちとのんびり過ごす、そんな夢のような日が。ぼんやりと、羨ましそうに眺めては、はっとしました。けれど、日本にいる皆には申し訳ないけれど、まるで朝再び布団にもぐり込む子どものように、もう少し震災の喧騒(けんそう)を忘れ、この夢のような世界にいさせて、と誰にともなくつぶやきました。

　ハワイの皆さま、良くしてくださって、ありがとう。

2月14日　シアトル便にて

　シアトル時間、深夜0時です。ハワイから来ると、さすがにシアトルは寒く、おまけに唯一持ってきたはずの、冬物ハイネックシャツが見当たりません。おそらくホノルルのどこかに忘れてきてしまったようです。とほほ。

　ハワイでは常時アロハシャツで過ごしていましたが、ここでは、ほとんど着ることがなくなり、スーツケースの荷物となってしまいました。ホノルルのリサイクルショップでシアトル用のジャンバーを買って、正解でした。そういえば、震災このかた古着に親しみを感じています。古着も案外いいもので、何だか、新品を買うのがもったいなくなってしまいました。避難生活の中で、段ボールを開け、古着を分け合う生活が、そうさせたのかもしれません。

　機中でも、集会の合間でも、原稿チェックと打ちこみに追われています。もうすぐ3月11日で、震災から1年に向け出版予定の『続・流浪の教会』と、韓国で出版される『流浪の教会』の最終準備に追われ、シアトルでもハワイでも、暇を見つけてはパソコンに向かっていました。観念しています。

2月17日　シアトルにて

佐藤　彰

避難生活報告　その51

「どんなドラマよりドラマだった」

　18日間の長旅でした。昨日の、ポートランドでの集会を最後に、今、シアトル発の帰国便に乗っています。空港で、見送りをしてくださった宣教師の先生に、いきなりハグをされました。その途端、うるうるくるものがありました。突然抱きしめられると、自分の中の何かが、かってに反応するようです。震災の道中で押し殺してきたものが、一挙に吹き出すのでしょうか。それが、悔しさなのか、悲しみなのか、苦しみや痛みだったのか、わかりません。ただ、止めどなく震え、制御不能に陥いる事態が、いまだ続いていることに気づきました。

　この先、コントロール不能な自分自身に出くわす場面が、あと何回続くでしょうか。まさか、一生ということはありえないでしょうが。とりあえず、心の準備はしておきます。そんな場面を避け、仮に直面しても、体よく切り抜ける術を身につけて。

　そういえばここシアトルで、ある同郷の若い女性が、私と入れ違いでアメリカから帰国した話を聞きました。その方は震災話になると、決まって涙していたそうです。お聞きすると、私が住んでいた町の住所で、それでは家に帰ることも故郷に足を踏み入れることもかなわないはずです。それならどこに帰ったのだろうと、思い巡らすと、思わず胸がキュンとしました。傷がうずくとは、こういうことを指すのでしょうか。

　一体人は、大切な人を亡くしたり、誰もわからない悲しみを抱えながら、どのように自分をコントロールして、この厳しい人生の旅路を舵とりするのでしょう。内に抱える傷や悲しみと折り合い

をつけながら、険しい道のりを立ち止まることもなく、前進するのでしょう。ひとたび悲しみ色に染まってしまった風景を、元通りに塗り替えることはできないとしても、せめて涙雨に打たれた後は、その直後にしか奏でることのできない色合いのメロディーを奏でたいのです。

今だから感慨深く歌える歌として、「ふるさと」があります。妻は逆に、震災以降この歌を歌えなくなってしまいましたが…。

作詞は髙野辰之さんで、明治9年長野県生まれのクリスチャンです。お姉さんが熱心なクリスチャンで、その影響で信仰をもたれたそうです。髙野さんは、東大で教鞭をとられた国文学者で、ふるさとは天の故郷を指しているともいわれます。そういえば、3番の歌詞の「志を果たして、いつの日にか帰らん」は、地上の旅路で使命を果たし終えた後、天の故郷に帰る人生を歌っているようにも思えます。

けれど今、私たちには「兎追いしかの山、小鮒つりしかの川……夢は今もめぐりて、忘れがたきふるさと……雨に風につけても、思い出ずるふるさと」のフレーズが、気軽に口ずさめなくなりました。こみ上げてくる特別な思いがあります。こうして、故郷を失い、ふるさとの野山がを思い浮かべると、万感が胸に迫ります。

作曲も、熱心なクリスチャンであられた岡野貞一さんです。40年間、本郷中央教会で聖歌隊を指導していたそうで、東京芸大の助教授でもあったようです。「ふるさと」のメロディーは、当時の讃美歌にヒントを得て作られたとのことですが、そのせいか、侵入禁止の我が家や故郷をひとしおしのばせるメロディーのように思えます。

こんな時だからこそ歌いたいこの「ふるさと」を、今しか歌えな

い涙色で染めてみたいです。帰ることのできない故郷を、やがて入る天の故郷と重ね合わせて、涙の向こう側に二つの「ふるさと」を見て、切なく限りない哀愁と望郷の念を抱きながら。

兎追いし　かの山
小鮒つりし　かの川
夢は　今も　めぐりて、
忘れがたき　ふるさと

いかにいます　父母
つつがなしや　友垣(ともがき)
雨に風につけても
思い出ずる　ふるさと

志を　果たして
いつの日にか　帰らん
山はあおき　ふるさと
水は清き　ふるさと

　ところで、ここはシアトルです。言わずと知れた、イチローが活躍するマリナーズの本拠地(2012年2月現在)。そういえば、彼はしばしば、信じられない打球を倒れざまに捕ったり、絶対無理と見えるぼてぼての打球にも、全力疾走で駆け抜けヒットに変えます。地元の新聞には、彼が今年3番に入ることが取り上げられていました。
　たとえ、もうだめかと思われても、駆け抜けてみる。アメリカ人

には、もとより体力面でかなわないとわかっていても、自分の持てるもので勝負に出る。時代や国は違っても、そんな姿は感動です。せっかくシアトルに来たのですから、私も少しはあやかりましょう。

2月23日　シアトル〜成田便にて

　無事帰国しました。お祈り、感謝します。

　帰国後すぐ、入院中の教会員を見舞いに行くと、彼女は「どうして私たちは、こんなふうにして再び遠くに、離れ離れにならなければいけないのでしょう」と涙ぐまれました。私も思わず、目がしらが熱くなってしまいました。

　1か月後、確実にその日は来ます。否応なしに皆再びばらばらとなり、ついには消えてしまうのかと、またもや強迫観念に襲われてしまいました。

　そういえば成田空港に帰り着くと、私は自動車のナビの目的地にごく当然のように「自宅」を設定し、気がつくとハンドルを握って福島の我が家の方角に車を走らせていました。一体私は、何を考えているのでしょう。どうかしてしまったのでしょうか。

　故郷は、ゴーストタウンのはずです。侵入禁止で、警官が見張っています。それでもだだっ子のように、どうしても帰りたいと、もしかしたら私の中の潜在意識が頭をもたげたのでしょうか。それとも、ただの条件反射か、習慣でしょうか。

　はたと気がつき現実に返り、ハンドルを切りました。Uターンする自分がみじめに思えました。そして、7万人が消えた故郷を、はるかに思いました。今頃、人っ子一人いないあの町一帯を、深々と夜の闇が覆っているのだ。それでも、人が消えた故郷の川に、

秋にはいつものように鮭たちが元気に戻って来たのだろうか、と。と同時に「いつまで感傷にひたっている場合か」と我に返って、故郷への思いを振り切るかのように、ハンドルを握り、故郷に背を向け、東京のキャンプ場へと向かいました。

　かつて三宅村の人たちは、火山の噴火とそれに続く強制避難で、住み慣れた故郷を離れ、ばらばらになりました。その後、どのようにして自分を保ち、時をつないだのでしょう。遅々とした時の流れを、耐え抜く力や術を知りたいものです。

　1年前私たちは皆一緒に、同じ町で生活していたはずです。それが当然のことと思っていました。ところが今は、こうしてばらばらになり、これからさらに散らされて、何回にも渡って非情な別れがやってきます。「信じられない1年でした」とある教会員がぽつりと言われました。

　今の私たちに、映画やドラマは不要です。どの映画よりも、映画でした。どんなドラマより、ドラマでした。

　せめてもの慰労をかね、来月の旅立ちを前に一区切りをつけ、1か月後のお別れ会を「第1期震災卒業式」とでも銘打ちたい気持ちです。みんなここまでよくがんばりました。突然わけのわからない大震災の渦中に投げ出され、キャンプ場で生活した人も、プライバシーがあってないような集団共同生活を、何もかも失いながら、1年の長きに渡ってよく耐えました。あり得ない日々を、大人から子どもまで。それから、全国各地で孤独の中、クモの子を散らすようにばらばらになりながらも耐え忍んできた人たちも。目の前から突然教会が消え、福島県に1人取り残されたかのような寂しさをかみしめ、教会の帰りをひたすら待ち祈り続けたみなさんも。1年間、御苦労さまでした。

果たして今ここは、震災ロード何丁目でしょうか。

2月25日　奥多摩に戻って

　台湾上空にいます。今日から4日間、台湾です。台湾は今回の震災で、特に日本に対し多くの支援をしてくれた国です。感謝の気持ちを、表してきましょう。

　それにしてもこのブログ、アップできないままここまで来てしまいました。ほとんど漬物状態です。

　すみません。

3月5日　台湾上空にて

佐藤　彰

避難生活報告　その52

「脱皮して天上人となるか」

　震災から1年目の3月11日を迎え、越しました。1年間をこうして生き延び、今私はサンフランシスコの上空にいます。多くの人が私の健康を心配してくださり、感謝します。当初私の中には、震災のその後まで生き延びようという考えがありませんでした。けれど1年が過ぎ、時の流れを感慨深く受け止めています。大げさに言うと、これで果てても悔いはない、と考えていました。そう言い聞かせなければ、この震災は乗り切れないと直感したのです。千年に1度の震災を、その渦中に置かれ、捨て身の覚悟もなく生きることはかなわない、と。けれども今、私はこうして震災後の1年目を迎えています。そして道は、まだ半ばです。

　やるだけやったような気もします。この1年で10年分も生きたよ

うな。がんの一つや二つ、できていておかしくないような気もします。きっと、私に限らず震災を乗り越えてきた人たちは、みんな寿命を削ったと思います。

　先日ある学校で、震災体験談を話しました。その学校にも、福島から転校してきた生徒がいるそうで、ある時こらえていたものが突然溢れ出て、大泣きをした話を聞きました。無理もないと思います。突然故郷を追われ、否応無しに一人ぼっちでの転校を余儀なくされたのです。よくここまでがんばったと思います。震災の中、生きてきただけでご苦労さまと。

　福島県浜通りに住む姉が、今回の大津波で流され亡くなられたという方が、アメリカのレストランで、働いておられました。爪跡は大きく、広く、はるか海の向こうの人々の心の奥底まで深くえぐり、傷跡を残していました。

　これほど涙を流したのに、もしも震災前後で、何も変わらないとするならば、あまりに悲しすぎます。あの震災は大したことなかったとか、忘れたとか、言ってはならないと自分に言い聞かせています。震災から1年が過ぎ、人々の記憶から次第に薄らいでいく中、神さまなのか、いのちを落とされた方からなのかわかりませんが、心に迫って来るものがあります。

　いずれ涙は風化し、忘れ去られる日もくるでしょう。それでもかつて、聖書が時代を書き記し、後世に語り伝えるように促されたように、私たちがこうして出エジプトやバビロン捕囚の物語を知り得るように、私たちもこの震災の中を生きた者として、語り継ぐ使命を感じています。

　私の場合はと問われると、震災前後で果たしてどこか、変わったでしょうか。生き方や考え方、聖書の読み方や神への信頼等。

せっかくあれ程の火のような試練をかいくぐったのに、手負いの獅子のような気迫が、お話の中から少しもにじみ出てこないとするなら、悲し過ぎます。

この際、古い自分を脱ぎ捨てて、思い切り脱皮しましょう。震災の中をかいくぐった者として、化けてみましょう。聖書に「だれでもキリストのうちにあるなら、その人は新しく造られた者です。古いものは過ぎ去って、見よ、すべてが新しくなりました」（Ⅱコリント人への手紙5章17節）、とあるのですから。

震災後こうして1年目を迎え、悲しみが静かにおおっています。あの時、駆け抜けざまに傷つき、気づかないでいた痛みも、今頃になってうずいたりしています。かつてモーセは、エジプト脱出の後に「お願いです、どうか私を殺してください。これ以上、私を苦しみに会わせないでください」（民数記11章15節）と叫びました。限界点をはるかに超え旅を続けていたのだと思います。

預言者エリヤも故郷を離れ、一仕事を終えて逃げ延びた先で、こう告白しました。「自分は荒野へ一日の道のりを入って行った。彼は、えにしだの木の陰にすわり、自分の死を願って言った。『主よ。もう十分です。私のいのちを取ってください。私は先祖たちにまさっていませんから。』」（Ⅰ列王記19章4節）、と。

今年の3月11日は、日曜日でした。私の誕生日でもあったその日、私は朝から震災記念礼拝と震災セミナーとそれに続く夕べの記念集会を終え、フィリップ・ヤンシー氏との雑誌の対談をもって、1日を終えました。確か夜10時を回っていたと思います。それから方向音痴の私は、電車を乗り間違えて、おまけに電車の中ですっかり寝入ってしまい、結局ホテルに着いたのは、午前0時でした。

問題は翌日の12日朝です。目覚めると朝7時40分で、あわて

て起きました。その日は8時までにミッションスクールに行かねばなりませんでした。10分間で支度をし、ホテルを飛び出したのでした。何とかお話には間に合ったものの、冷汗をかき、震災後もあいも変わらない自分と対面するはめになり、深くため息をついて、震災2年目をスタートしたのでした。

　ふー。震災をくぐっても、何も変わらないか。

　けれども、それくらいのほうが、よかったかもしれないとも考えました。悲しみとじっくり向き合い過ぎず、悲しかったことや苦しかったことを、時を駆けながら蹴り上げた土ぼこりをいいようにまぶして煙に巻き、一気にその日を駆け抜けてみて、かえってそれで、よかったのだと。交錯する情報や雑踏の中で神さまの気配を感じ、必死に追い駆けてはしがみつき、お母さんを発見したら迷わず真っしぐらに駆け寄る子どものように、私も目の前に繰り広げられる震災ロードを駆け抜けてみたいものです。

　この1年の旅路のそこここで、神さまはやさしく姿を現しては、かつてないほどに見いだされ、駆け寄って来て抱きついて欲しいと願っておられるのではないか、と思いました。まるで聖書に描かれたあの放蕩息子のように、すべては、そこに向かって流れているのではないかと。

　そういえば昨年も、故郷の孵化した鮭は稚魚から大きく育ち、渾身の力を振り絞って、故郷の川を目指す最後の旅に出、帰ってきたそうです。すべては、そこに向かって集約されていくのでしょうか。

　私たちのこの旅は、故郷福島をはるかに超え、天の故郷に向かって昇る天路歴程でしょうか。この道は、地上から引き剥がされて天上人となる、地上の旅人の特別コースでしょうか。

夏になると、さなぎから脱皮した蝉たちが、一斉に全身を揺らし、鳴き声を奏で始めます。私たちも思い切り脱皮して天上人となり、精いっぱいのあかしの歌を全身全霊で奏でましょうか。

　だけどそれは、この夏のことでしょうか。

　　　　　　　　　　　3月13日　サンフランシスコの空の上で
　　　　　　　　　　　　　　　　　　佐藤　彰

　誕生日はひと足早く、すでに台湾でケーキを用意してお祝いしてもらいました。もう一つ、うれしいニュースがあります。震災の日の3月11日に合わせる形で、『続・流浪の教会』がいのちのことば社から出版されました。

　震災から1年が過ぎ、急速に人々の関心が薄れつつある中、あの時私たちがどれ程震え、打ちひしがれ、そこからいかに脱出の道を見いだしたかを知って、寄り添っていただくことは、慰めです。道々、私たちがどれほど神さまと人々に良くしていただき助けられたかを知ってともに喜んでくださることは、力となります。

　なぜかあの日、私は今日つづらなければ明日になったらもう書けないと思い、何かに急かされ誰かに押されるかのようにして、まるで憑かれたかのように震災日記を書き続けました。そして多くはそこから、不思議なストーリーが生まれました。その震災ダイアリーと、各地でもたれた震災講演会でのメッセージ、そして旅路の途中で私たちをお世話くださったいのちの恩人の方々の証言や幾人かの証しが収められています。

　ほんとうに、路頭に迷い途方に暮れたあの激動のはじまりから、まさか1年の長きに渡り流浪の旅を続け、1年後にアパートやチャペル建設に取り組むようになろうとは、ゆめゆめ思いもしませんで

した。

　　　　　3月17日　サンフランシスコのホテルにて

　　　　　　　　　　　　　　　　　佐藤　彰

避難生活報告　その53

「男の本懐」

　サンフランシスコを後にしています。6日で11回の集会がありました。着いてすぐ、胸に痛みを感じ牧師先生に話すと、内科のお医者さんがホテルに駆けつけてくださいました。翌週日本に帰国される予定の、教会に通っておられるクリスチャンで、すぐに診てくださいました。そういえば昨年末も、年内最後の奉仕先で腰が立たなくなり、その教会におられた整形外科のお医者さんが、まるで私を待ちうけるかのように治療してくださいました。ありがたい話です。サンフランシスコ滞在は、一事が万事この出来事が象徴するようで、お会いする方々によくしていただきました。

　一つ心残りとすれば、どこに落としたのか忘れたのか、ネクタイが1本なくなりました。このところ出かけるたびに、何か一つ置き土産をする傾向があり、これも震災後遺症の一つかといぶかしがっています。まるで愛犬が散歩時にマーキングをするかのようだと笑い飛ばそうとしたり、得るものが多いからしょうがないかと自分に言い聞かせたり、とにかく素知らぬ顔でやり過ごそうとしています。

　帰国便では久しぶりに、映画を観ました。映画を観切る力が出てきたのでしょうか。それとも、内容が私を引き込んだでしょう

か。

　その映画は2007年制作の「アイ・アム・レジェンド」で、当時の2年後にあたる2009年の近未来に起こる人類滅亡の危機を想定したSFです。内容は、遺伝子操作をしたはしかウィルスをがん患者に注入すると、完治するという夢のような話が一変、まるで狂犬病にかかったかのように人々が凶暴化し、人類滅亡の危機に直面するというストーリーです。

　アメリカは国家非常事態が宣言され、ニューヨーク市も大混乱となります。空気感染の恐れまで生じ、人々は待ったなしの避難を強いられます。一刻を争って脱出をはかり、我先にと混乱を極める町の様子は、昨年私たちが体験した大震災時の避難時とあまりに酷似し、ついつい食い入るように見入ってしまいました。5年も前に上映された映画であるはずなのに、まるで昨年私たちが直面した出来事を予告するかのようで、ぎょっとしました。

　「これは天災でなく、人災だ」のせりふも、もしも地震と津波だけならば、私たちもこのように我が家と故郷を後にして、流浪の旅を続ける必要はなかったと、今さらのように今回起こった原発事故を、考えさせられてしまいました。あの日大半の人は自宅には問題がなく、怪我もしていませんでした。しかし、サイレンが鳴り響き、否応無しに7万人が家を追われました。その後それぞれが各地を転々とし、いまだに流浪の旅を続けています。これは、映画やドラマではなくほんとうの出来事なのでしょうか。

　ただエンディングは、復活の希望を抱かせるものでした。主人公の米軍の科学者は、妻子と別れひとりニューヨークに残ります。感染者が回復するよう研究を続けるためです。やがて彼は、凶暴化した人間に襲われて死んでいくのですが、死ぬ直前、感染

者が免疫を得る臨床実験に成功します。

　幼い娘と妻が主人公と別れる際には、妻がひとり残る夫のために祈る場面もありました。「神よ、どうか夫に、困難を乗り越える力をお与えください」と。思わず「どうか、困難に直面している多くの日本人に、困難に負けない力をお与えください」と祈りたくなりました。

　ああ私の中に映画を観切る力が生じたのではなく、この映画の展開に自身の経験を重ね合わせていたのだと気づきました。
　　　　　　　3月21日　サンフランシスコ〜成田便にて

　無事に、日本に帰国しました。私は、成田空港から車でそのまま福島に向かい、アパートの竣工検査を終えました。思った以上にいい建物になり、結構なわくわく感です。なかなかおしゃれなたたずまいで、これはうなだれる私たちへの、神さまからのプレゼントでしょうか。

　聖書に登場するヨブは、財産と子どもをなくし、自ら言語に絶する病に打たれます。けれども最後は、新たな神との出会いの経験と、かつての2倍の祝福でした。私たちにももしかしたら、そのような結末が待っているでしょうか。それとももうすでに、2倍以上の祝福を受け取っているのでしょうか。

　新築のアパートを見た人が、「私も入居できないでしょうか」と問い合わせをしてきます。住まいを失くし被災者があふれていることが原因ですが、このアパートに住んでみたいと思われることは、うれしい悲鳴です。

　竣工検査を終えた私は、その後夜中に車を走らせ東京へと向かいました。奥多摩で、約3時間ほど仮眠した後、早朝沖縄へ向

かい、今は、その沖縄からの帰りの便で、那覇発羽田行きに乗っています。帰国後の綱渡りスケジュールが、ここまで守られ感謝します。

いよいよ明日は、1年間お世話になった奥多摩バイブルキャンプ場での最後の礼拝です。

キャンプ場の皆様や奥多摩福音キリスト教会の方々と、地域でお世話になった人たちとみんな一緒に「ありがとう、さよなら礼拝」をささげます。この旅路で9人目となるサラリーマンの男性の洗礼式もあります。昼食時の感謝会は、あるケイタリング会社からの私たちへの、お寿司とオードブルのプレゼントです。

1年分の感謝と思い出がぎっしりと詰まった礼拝となりそうです。激動の1年の締めくくりの、涙と笑いが混ぜこぜの、わけのわからない1日となるのでしょうか。

3月24日　沖縄〜羽田便にて

今私は、JR常磐線特急の新型スーパーひたちに乗っています。座席わきにコンセントが付いていて、新幹線に乗っている気分です。上野から、被災した福島県太平洋岸に向かう列車なので、少しでもエールをと、特別に新型車両にしたわけでもないでしょうが、故郷の直前で突如分断された私たちにとっては、力となるものなら何でも必要な気がします。

今週、あるテレビ局の取材を受け、津波で流されて家の土台だけが無残に残る海岸にお連れしました。絶句しておられました。

それにしても、1年ぶりとなる懐かしい常磐線特急スーパーひたちです。本来は、仙台から上野までつながっていたはずですが、故郷が遮断された状態で、故郷の南約50キロからの乗車です。

常磐高速道路にしても、もう間もなく仙台までつながるはずでした。その矢先の分断、故郷の直前での急ブレーキとなりました。

　昨日自宅に一時帰宅したある教会員は、ゴーストタウンと化した故郷を再び目の当たりにして、もう何回も目にしてわかっているはずなのに、絶句とため息で帰ってきました。荒れた自宅の玄関を開けるたびに、悲しい現実と対面し、肩を落とし戻って来ます。

　先週末から4日間にわたって密着取材をしたテレビ局の人たちは、1年ぶりに福島に戻ったにしては私たちが浮かない表情なので、少々驚いたと話されました。もう少し歓喜の表情を撮れるものと予想していたようです。映像は真実を物語るかもしれません。

　関東から車を走らせ、1年ぶりに福島県の土を踏みましたが、そこはホームタウンではありません。我が家はいまだ、遠く彼方のゴーストタウン化した故郷の中です。

　映像が捕らえた肩すかしの表情は、私たちのそんな複雑な心境をそのまま物語っていたのでしょう。ここがホームタウンで、旅の終着であれば、どんなに喜んだでしょう。しかし現実は、相も変わらぬ避難生活の延長で、ここからまた新たな仮の宿の生活が、一からスタートします。まずはこの土地に馴染むところから始め、郵便局や病院を探して、新生活に必要なものを一つずつそろえていきましょう。この土地に適応する努力も必要です。そんなに甘くない新生活の再スタートを意識して、自ずと身が引き締まったのだと思います。

　福島県に戻れるのはうれしいけれど、自宅でないから悲しくて。悲しくてうれしいから、ここでもやっぱり悲うれしいですが、この複雑な心境を映像は収めてくれたでしょうか。

　ところで、「ありがとう、さよなら礼拝」は感動でした。200名

前後集われたでしょうか。故郷から突然投げ出されたものの、行き着いた先で何度も抱きかかえられ助けられてきた私たちの1年の締めくくりとなる、ひと時となりました。

礼拝では、洗礼式に加えキャンプ場の責任者の宣教師からのおことば、遠くから届けられたお便り、新しい旅立ちへのエールとなる演奏などがあり、どれも心のこもった神さまからの贈り物でした。

礼拝に続いての感謝会は、クリスチャンが経営するケイタリング会社からの申し出で、お寿司を握っていただき、まるで結婚式のレセプションのようだと感動の声が聞こえました。1年前、何もかも失ってくたくたになり奥多摩の地に転がり込んだ私たちを、こんなにも豊かな自然が包み込み、次々と雲のようにたくさんの人が現れては私たちを取り囲み温もりを与え、寄り添ってくださいました。

そんな奥多摩を「東京の田舎」だなんて副牧師が、礼拝時にポロリとこぼして皆を笑わせたかと思ったら、次の瞬間涙声になんかなっているから、今日は泣かないとあれほど決めたはずなのに、私まで泣いてしまったではないか、と。すべてを副牧師のせいにするには無理があり、いかにも見苦しい弁明となってしまいました。メッセージの最中も途中で訳がわからなくなってしまう始末で、やっぱり私もはじめから普通ではなかったのだと知りました。

しかし翌月曜日は、それ以上でした。朝食後、ばたばたと引っ越し準備をし、大掃除の後、宣教師の先生から旅立ちのセレモニーをしていただいて、さあ出発という時です。車に乗り込む直前、互いに最後のあいさつを交わすと同時に、皆崩れ落ちました。飛ぶ鳥後を濁さずのはずが、どうしても飛びきれず、せきを切った

かのようにそこここで抱擁と号泣が始まり、止めどなく溢れくるものを抑えることができませんでした。

　別れの切なさに加え、わけがわからない激動の1年の中で渦巻いていた思いの丈が、悔しさやいとおしさ、誰かにすがりたい気持ちや怒り、感動やずたずたに切り裂かれた心の傷跡などが、うずいたり、もがいたり、うめいたりしながら、波のようにのたうちまわるようにも感じました。ああ、本当に重い1年の峠道を、皆で越えてきたのだと、苦楽をともにしてきた戦友たちと、涙の別れの挨拶を交わすように、私も心の中でずっと震えていました。

　悲しいときには泣けばいい。叫びたいときは、叫べばいい。それはそうですが、そんなに簡単に、解説しないでほしい。ことばにならない幾層もの思いが、湧いては消え、織りなしては押し寄せて来るのを感じていました。

　東北人は、感情を抑える傾向があったはずではないかと、ふと頭をよぎりましたが、それも何もかも粉々にしてあまりある、1年分のたぎる思いが、突き上げてくる瞬間でした。そのありのまま素のままを、果たしてテレビカメラはとらえたでしょうか。後でお聞きすると、あの時クルーの方々も、涙を流しながらカメラを回しておられたそうです。

　旧約聖書の当時、遠くバビロンに強制移住させられた聖書の民は、70年も流浪の歳月を重ね、その果てに念願の祖国帰還を果たしました。それほどの長きにわたって温め続けた望郷の念は、故国帰還の際、どれ程のさく裂をみせたのでしょうか。

　詩篇126篇に描かれている通りでしょうか。うれしいのか悲しいのかとうの昔にわからなくなってしまった私たちも、悲しみと感謝に暮れ、涙と笑いが混ぜこぜの、すっかり自分がわからなくなっ

てしまった状態で、このまま進むほかないでしょうか。

「神様が、捕虜となっていた人々をエルサレムへ連れ戻された時は、まるで夢でも見ているようでした。笑いが込み上げ、ひとりでに歌っていました。外国人の驚きようと言ったらありませんでした。『神様って、すごいことをなさるもんだな』と騒いでいたではありませんか。

確かにすばらしいことでした。信じられないようなことでした。どれほどうれしかったことか! 旅人が砂漠でオアシスを見つけた時のように、私たちをすっかり元気にしてください。

涙をまく人は、やがて喜びを刈り取ります。種を手にし、目を泣きはらして出て行った人々が、やがて収穫の束をかかえ、歌いながら帰って来ます」(詩篇126篇　リビングバイブル訳)

日曜日の朝、30年近く私たちの教会に寄り添い、いくつものチャペルを設計してこられた設計士と、電話で話す機会がありました。その中で、以前から私たちと関わり続けてくださったこの設計士は、この1年間の私たちの教会の激動の歩みを振り返って、かつて朝鮮戦争の際、突然の中国軍越境で壊滅状態に追い込まれた韓国軍のある部隊が、本陣を失い多くの犠牲を出しながら、最後まで闘いつつ撤退したという話を例に出して、ねぎらってくださいました。福島第一聖書バプテスト教会のこの1年もそのようであった、と。この教会だから、そうなったのだ、とも。

ありがたいおことばでした。涙声でした。

私の手は震えました。涙が、止まりませんでした。

あの田舎の地にかつて教会が立ち、親睦を深め幾つかの伝道所を建て、壁に直面しながらも宣教のチャレンジを繰り返して

きたのは、すべてこの時のためであったのか。突然震災の渦中に置かれ、もがき苦しみながらも生き延びて、起きあがり、神の国の物語を心震わせながら体験するためだったのか。

だけど神さま、ほんとうに私たちは、死力を尽くしたのでしょうか。突然、本陣を失い投げ出され、瀕死の状態から立て直しをはかり、攻勢に転じたのでしょうか。多くの犠牲を出しながらも涙を拭いて、敗残兵が寄り添うようにして、前進を試みたでしょうか。

もしもあなたが、その通りだとおっしゃってくださるなら、本望です。もはや、何の悔いもありません。

あなたの御腕の中に、安堵します。

3月30日　いわき発上野行き常磐線にて

佐藤　彰

避難生活報告　その54

「動じる人、動じない人」

新幹線の車窓から、震災1年後の桜の花を眺めています。3月の慌ただしい引っ越しから2週間が過ぎました。福島県に越してきても、思ったほどのわくわく感がなかったと以前書きましたが、それでも少しずつ、1年ぶりに福島県に戻ってきたことを実感し始めています。今までは、どこへ身を寄せても避難民でしたが、ここでは、地域全体が被災者です。

地方紙の紙面に、いまだかつてない程目を通している人も多いと思います。刻々変化する原発関連被災情報等が仔細に載ってい

るからです。故郷のそばに身を寄せながら、じっとその行方をうかがっている私たちは、もしかしたら草むらにそっと身を潜め、我が家の様子をうかがっている猫のようであるかもしれません

　大きな変化とすれば、その日以来東京・福島間をピストンする必要はなくなり、また、個々に程良いプライバシーを確保した点でしょうか。振り返ると、よく1年もの長きにわたり東京・福島間を往来し、共同生活を続けたものだと感慨深く思っています。その間、誰が交通事故を起こしてもおかしくない半端でない回数と距離だったにもかかわらず、誰も事故を起こすことなく、改めて薄氷の上を歩き守られてきたことを、自動車事故のニュースを耳にするたびに思い返しています。

　電車からふと外の景色に目をやると、そこには海岸端の家々が津波で無残に破壊されて土台だけが残った、被災地の光景が拡がっています。紛れもなく私は今、被災地に戻ってきました。

　日曜日の礼拝は、結婚式場を借りて行っています。お年寄りや体調不良の方々のアパートは何とか完成したものの、チャペルの方は未だ着工に至らずあちらこちらを転々としています。第1回目の礼拝は、市内の教会をお借りして午後の時間帯に、2回目からは結婚式場で同じく午後の時間に、その時々に開いている部屋を有料で借りる形で。間借りなのでゆっくりする時間はありませんが、時間制限があっても、これはこれでいかにも流浪の教会の礼拝らしいかと、無理矢理理由をこじつけています。

　旅ガラスのような浮き草の生活に、いつまでたっても慣れることはないにしても、さすがに御年配の方々は動じる様子もなく、年季が入るというのはつくづく違うものだと感心しています。旅を繰り返しながら道々楽しみ、まるで震災を手玉に取るかのように、

その中から恵みを最大限享受しているようにも見えます。少々のことでは揺るがず、だてにこれまでの人生で幾多の荒波を乗り切ってきたのではないとばかりに、たくましくもあり、ちょっとやそっとでは真似できそうにない境地に見えて、脱帽です。

　彼らは教会の宝です。

　それにしても、全国に散りぢりになってしまった教会員を思うとき、心の中を言いようもない悲しみが覆います。内なる涙は乾く間もなく、どうやらそのままぬかるみとなって、足場を危うくしています。幾種類もの悲しみが波状となって心に押し寄せ、震災がいかに一筋縄でいかない手ごわいものかを、思い知らされています。

　震災がこれほどに尾を引く厄介なものであったとは。いい加減勘弁し解放して欲しいと願うのは、私ひとりでしょうか。

　　　　　　　　　　　4月14日　大阪行き、新幹線で

　激動の日々が続いています。福島に戻ったら、少しはゆっくりしようなどと考えていましたが、今度は別の種類の慌ただしさに追われています。東京・福島間の往来こそ無くなりましたが、新しい土地での生活の再スタートにあたり、種々雑多な手続きと、東京から戻って皆が落ち着くまでの煩雑な事柄に、追われています。

　原発事故に伴う賠償手続きや、チャペル建設のための諸作業も、結構エネルギーを取られます。道のりはいまだ遠く、次なる着地点まで、幾多の気が重くなる出来事が予測されます。

　そして今、私は早朝6時発の電車に乗って高松に向かっています。妻はといえば、体調を崩した父の所へ、同じく今朝出かけました。ところが、行きがけにナビの検索ルート違いで、高速道路に乗る

はめになってしまったとのこと、今まで彼女は、高速の運転ができなかったはずです。

私はといえば、そんな知らせを糧に、差し迫った事柄にもたじろがず乗り切ることにしようなどと、妻が流した冷や汗を、かってにも自分のエネルギーに変えようとしているのでした。

それにしても高速を運転できないはずの彼女が、どうやってひとりで入って出たのでしょうか。なんだか私まで何でもできそうな気がしてきて、気持ちが大きくなってきました。ただ、「成せばなる、何事も」などと口走る自分を見て、やっぱりこれは、他人の恐怖をバネに自分の力にしようとしている自己中心にすぎないのだと、気づくのでした。

しかしそれならそれでと居直って聖書を開くと、何だか本当に自分も水の上まで歩けるような気がしてきて、追い込まれるほどに逆に、自分自身を越えた神を身近に感じ「私は、私を強くしてくださる方によって、どんなことでもできるのです」(ピリピ人への手紙4章13節)との、あのパウロの告白までをも自分の告白にして、何とか自分のものにしようとしている自分自身にも気づくのでした。

しかし確かにこの震災ロード、もともと叱咤激励無しには片時も進むことはできませんでした。そうでなければ私たちは、きっとたちまち呑み込まれ、流されていたでしょう。

そういえば先日、こんな話を耳にしました。あるアメリカ企業のクリスチャン会長が、夢を見たそうです。そこにイエスが現れて「あなたの会社は日本に進出して大きくなったのに、あなたは一体どれ程恩返しを日本にしたのか」と語られたというのです。夢から覚めた会長は、いてもたってもいられず、あるキリスト教関係の団体に日本への多額の献金を申し出て、さらに先日、震災から1年

が過ぎたこの時期に、再び日本の復興支援のための大口の献金をされたというのです。

　私の経験や情報をはるかに超えたところで、大きく、そして自由に神さまの働きは展開しています。まるで大空を流れる雲のように、かねてより今に至るまで、私が知ろうと、知らない世界でも。

　「それならばいっそ神よ、もっと激しく著しく、この世界に臨み、直ちに黒雲を蹴散らしてください」と今いま願うのは、性急にすぎるでしょうか。

　　　　　　　　　　4月25日　早朝、高松行き列車内にて

　最近私は口癖で、「わからない多くの事柄の中で、わかる幾つかのことを手繰り寄せていくならば、神に出会う」と口にします。私たちが知りうる事柄はいつもわずかで、しかし許されたそのわずかなことをたどっていくと、その先に神がおられる、と。

　情報は、助けにもなりますが、時には混乱の要因ともなります。以前見たドキュメンタリー映画「アレクセイと泉」では、チェルノブイリ原発事故後の放射能の線量が半端でなく高いある寒村で、巡り来る季節の中を懸命に生きる村人たちの姿が、ありのまま描かれていました。ほのぼのと映し出される映像の中に、故郷でいのちを育み精いっぱい生きる村人たちの姿が、淡々と色眼鏡をかけずに描かれていました。

　ところが当時、世界各地から訪れる人々が、あまりに判で押したように「放射能がこんなにも高いのに、住んでいて怖くないのですか」という質問を繰り返すので、いい加減辟易した彼らは「他の質問はないのですか。びくびくしないで、精いっぱい今日を生きることについて、とか」と、しばしば逆に質問を返したという

のです。

　つぶやきの中に神はおられず、前向きの中に神はおられます。つぶやきの中にサタンの気配を感じ、天に向かい「あなたはどこにおられますか」と問いかけながら、目の前に拡がる混沌とした世界を、旅しましょう。

4月30日　常磐線にて

佐藤　彰

避難生活報告　その55

「持久戦」

　何を考えるでもなく、今私は電車に乗っています。最近少しは、新聞にも目を通すようになりました。このぼーっとして過ごす何気ない時間も、大切だと聞いたことがあります。確かに旅の道中は、電車でも飛行機も一人だけの空間でした。この移動式プライバシーが、めまぐるしい激動の日々を支えたのでしょうか。自分を保つため必要不可欠な、合間合間の一呼吸となり、細切れに挿入された安息となったかもしれません。

　最近の列車は、座席の下やひじかけの下にコンセントまで付いていて、重宝しました。加えて、被災後高速道路が無料になったことも、助けとなりました。震災直後には、原発からの逃避行に加え自宅や教会への一時帰宅、さらにはちりぢりになってしまった全国各地の教会員を訪ね歩く際、どれほどありがたかったことでしょう。私たちは一体この間、東京・福島間を何回往復したでしょう。半端な距離数ではありませんでした。おそらく異常でしょう。

とはいえ、一旦は現代社会への警告か、はたまた突然の急ブレーキか、いきなりシフトダウンを強いられたかに思われた震災のはずだったのに、気がつけば文明の力に乗っかって、電車や飛行機内ではコンセントにパソコンをつないで居心地の良さを享受している自分がいます。ややもするとさらなる便利さまで追求しかねない、現代病にすっかり染まってしまっている（？）のかもしれません。

話は変わりますが、先日ある講演先で、同郷から避難中の方とお会いしました。その人は、とにかく悔しくて悲しくて、そしてもう故郷には帰れないと話しておられました。涙で顔がくしゃくしゃになったこともあると。

そういえば旧約聖書の哀歌には、悲しみがあまりにも深くて「私の目は涙でつぶれ」（哀歌2章11節）、との記述があります。当時、悲しみの預言者と言われたエレミヤは祖国が他国に攻められ、崩壊する一部始終を目撃しました。最期はバビロンに捕囚となり、亡国の憂き目を体験しています。3回にわたる捕囚最期の王となったのはゼデキヤです。彼はバビロンへ連行され、目の前で彼の子どもたちは虐殺され、その後彼の両目はえぐり出されました。何という悲劇でしょう。

私たちは、それほどの体験はしていませんが、大事な我が家に野生化した豚が入り込み、手塩にかけて育てた田畑が荒れ果てた、信じられない光景を目の当たりにしました。そんな我が家にも故郷にも、もう帰らないし見たくもないという気持ちはわかるような気がします。大切な思い出がぎっしり詰まったマイホームが、獣たちの住処となり、すっかりゴーストタウンと化した故郷を目の前にして、私たちはこれをどのようにとらえたらいいのでしょう。

この悲しみのコスト計算は、どれくらいでしょう。そもそも、そのような計算式は、成り立つのでしょうか。

　教会員は今、すっかり全国に散ってしまいました。その悲しい現実に直面するたび、いたたまれない感情にさいなまれます。皆が各地で、じっとして歯を食いしばり、やっとの思いで生きています。もしかしてある瞬間に、そのすべてを負い切れなくなって、いのちまでも投げ出すようなことになったらどうしようと、怖れを抱いている人もいると思います。

　1年を越える避難生活の疲れは峠を越え、今では各自がかろうじてサバイバルレース内に留まっているというところでしょうか。長引く仮住まい生活は限界点を過ぎ、私たちは今伸びきったゴム状態に入っているのかもしれません。これから先、果たして私たちは何年もつでしょうか。杞憂でしょうか。それならいいのですが。

　新築のチャペルも、自宅や学校も、街並みが丸ごと消えました。その喪失感は半端でなく、重苦しい空気が心の中によどんでいます。これは、持久戦でしょうか。

　私たちの耐力は、あとどれくらい残っているでしょう。もしかして気が抜けて、景色からも色が抜け落ちて行くような心境は、私たちが危うい段階に差し掛かっているサインでしょうか。

　それとも、ただの疲れでしょうか。

5月14日

　昨日、結婚式がありました。私はこれまで全国各地をまわり、震災がきっかけとなって結ばれた2組のカップルに出会いました。今回は私たちの教会員同士の結婚式でしたが、震災が生んだ結婚式と言えるかもしれません。震災後、人生の景色も生活のリズ

ムもすっかり変わってしまいました。激震は思わぬ情景をもたらし、生活のスピード感も変えたと思います。

ところでこの結婚式、うれしいはずなのに、どこか哀しみをたたえていました。披露宴は、これは震災前の教会の再現ではないかと思うような、懐かしい教会同窓会さながらの光景に見えました。式場で久しぶりに会う教会員同士は、互いにうれしそうで、そこここに震災で壊れる前の、かつての教会がつかの間の復活を果たしたかのような表情を映し出しました。ただし、つかの間のでした。

まるで、我が家の孫が大好きな私の妻に向かって（私ではない？）、「おばあちゃん、お願いだからもっと長くいて。ずっとここにいてちょうだい。あと50回は泊って」とせがむかのように、それに似た心境だったかもしれません。「どうしてみんな、また散って行かなければいけないの？　以前のように、せっかく再会したのだから、このままずっとここに一緒にいようよ」と、すがるような心境だったでしょうか。

震災後1年を経て、初めてお会いする方もいました。そこはほとんどかつて営まれていた教会のイースター祝会かクリスマス会のようであったかもしれません

この群れはどうして、「じゃあ、また次の日曜日に会おうね」と言って家路につくことができないのか。なぜ「次はいつ会えるかね」、と妙なことばを交わして別れなければいけないのか。この近くがそれぞれの故郷のはずで、自宅はみんなこの近くにあったはずなのに。

ほどなく教会員は、東京や埼玉、栃木、千葉へと、それぞれの仮の宿に向かって、また三々五々散って行きました。行くも寂し、

見送るも哀しで、慶びの結婚式のはずが、間違いなく下敷きは、私たちの足場に深々と横たわる、被災その後の現実でした。北へ南へと散って行く教会員の後ろ姿と、それを見送る人たちの瞳の中には、涙をたたえる物語がありました。

　気にも止めませんでしたが、私たちを見つめた夕焼けも、もしかして涙色だったでしょうか。

6月9日　奈良にて

　今、宇部空港上空を飛んでいます。下関の大学で講演した帰りです。この震災日記、なかなかアップできないまま、ここまできました。震災後1年3か月が過ぎて、いよいよ私の中にダメージが効いてきたのでしょうか。こんなに長い間ブログに向かわなかった日々は、なかったかもしれません。「生の声」として震災体験談をつづるはずが、これではほとんど漬物状態です。私の中から気力が失せてきたのでしょうか。それともただの、疲れでしょうか。

　疲れと言えば、ある人は出会うたびに周りの人から震災話を聞かれて、話すのにくたびれてしまったと話していました。別の人は、他の人に震災の話をしても一向にピンとこない様子なので、もう話すのを止めたとも。逆に被災者に歩み寄ったら、「あなたには帰る家があっていいわね」と嫌味ともとれることばが返ってきて、怖くなって近寄るのを止めたと話される方もいました。震災で、それぞれが心に受けた傷の形は皆違い、長引く震災後がもたらした亀裂はますます混迷の度を深め、異様な風景をかもし出しています。

　何だか、ブログを打てなくなったいいわけばかりをしているような気がします。けれどやっぱり我が家を失い、故郷が根こそぎ消

え、生活の基盤を奪われた哀しみは、半端でないのだと思います。

　いったい、この一連の出来事は何だったのでしょうか。すべてはすっかり落ち着いて、しばらくの時を経た後わかるのでしょうか。今はまだ震災その後が続いていて、道半ばです。私も、ダメージが効いてきてブログに向かえなくなったとか、弁明している場合でありません。すべてを暗く考えて、自ら落ち込んでいく負のパターンに陥らないようにしましょう。

　先日テレビで、故郷に一時帰宅したあるスーパーの経営者が自殺したというニュースが流れていました。インタビューを受けた同郷の方は、事ここに至ると「いつ誰が衝動的に自らのいのちを絶ってもおかしくない」と答えておられました。きっとその経営者は、自らの手でこれまで築きあげてきたスーパー内に立ち、崩れ腐り果てた商品を目の前にして、途方に暮れたのではないでしょうか。

　確かに私たちは、いつ誰がそんな心境になってもおかしくない状況に追い込まれていると思います。持久戦に入ったでしょうか。

　　　　　　　　　　6月13日　宇部空港発羽田便にて

　悲しい話をし過ぎました。実際悲しいからしょうがないとも言えますが、最近の講演でも私は、どうやら放っておくと悲しい話ばかりをし過ぎる傾向があるようです。基本的に震災は、悲しい出来事に違いないのですが、そんな中にも神さまのいつくしみや人々のやさしさに、私たちは出合いました。これも併せ書かないと、公平でないでしょう。

　先日、東京の病院で避難中の教会員が、90余年の人生を閉じました。もし今回の震災に遭わなければ、故郷のあの教会で違った形での天への旅立ちをされたと思います。一見すると、思いも

かけない最期を迎えられたかに見えました。

　ところが、です。そもそも集中治療室で病状が急変した際、私はちょうどお見舞いに訪れていて、意識がないように思われた彼女に話しかけ、お祈りしました。その際の医師の話では、もう意識は戻らないとのことでしたが、その後彼女は意識を回復し、私の訪問もわかっていたとの報告がきました。

　その後の経過は、召される前日までご家族と会話を交わし、その翌日の召天となりました。家族葬が行われたのは日曜日でしたが、私はその日他県にいて、副牧師は福島の教会でのメッセージのため、ちょうどその日のスケジュールが空いていた伝道師が急きょ東京に向かい司式しました。そしてその式が、ご家族の心に沁み入るすばらしい式となったとの報告が、後に入りました。また、その日式を担当された葬儀社の方も、ちょうどクリスチャンであったとか。

　何という神さまの御配慮でしょう。

　避難先から天に旅立たれた姉妹にも、最善の神さまの御手があったことを知りました。

　続けて、彼女の最期の1年にわたる避難生活をご家族にお尋ねすると、まずお一人暮らしの福島の地で震災に遭い、その直後から近くの教会員が彼女の元へ訪ね助け出してくださり、あとはそのご夫妻が彼女を避難用のバスにお乗せし、以後関東地方まで旅路をともにし、ずっとお世話してくださったとのこと。

　東京に着いてからは、娘さんの元に身を寄せて、自らの足でマンションの階段を5階まで上り降りし、それがかえって健康を強め、何と毎日近くの接骨院に足しげく通い、福島に残してきた自宅にもあの防護服を着て3度も一時帰宅し、生まれ故郷である北海道

にまで旅行されたとのお話でした。信じられません。震災前のあのひとり暮らしの生活では、しばしば体調を崩され、周囲の人々も心配していたはずです。

　そういえば元々東京は、彼女が結婚後福島で生活するまで過ごされた、いわば青春の思い出の地で、東京におられる御家族も以前から、御主人を亡くされた後独り身となられたお母様の身を案じ、東京に来るようにとすすめておられました。

　図らずもそれが大震災を通し、突如東京で生活するようになり、御家族にあたたかく見守られながら、自ら妹さんを見舞ったり、昔馴染みの方々と親交を深めたり、健康まで強められて、実は生まれ故郷の北海道から長年住み慣れた福島にまで旅行されていたとは。想像もしないストーリーの展開でした。

　ふと、もしかしたら彼女は、人生の晩年に最高にしあわせな1年間を過ごされたのかもしれない、と思いました。神さまはきっと彼女に、思いもよらない震災の中をくぐらせ、渦中にあってはしっかりと手を握り、旅路の間中ずっと寄り添い、その先にこの上もない1年を用意されていたのだ、と。

　だとしたら私も、こんな風に疲れたとかもうだめかもとか言っている場合ではありません。哀しみの情景に色を染め、温もりでラッピングし、前向きなことばを散りばめながら、一見不条理に見える出来事の中に、神さまの御手が見えると告白して、進むことにしましょう。

　ふーっ、久しぶりのこのブログ、最後は少し前向きで終えることができた、かな……？

　　　　　　　　　　　　　　　6月15日　福島にて

　　　　　　　　　　　　　　　　　　　佐藤　彰

避難生活報告　その56

「流浪する世界」

　姫路、浜松での講演を終え、日曜の朝に福島に向かっています。日曜日当日に朝浜松を出発しても福島での礼拝に間に合うのは、結婚式場を借りて午後礼拝をしているからです。当初私たちは8月か9月のチャペル完成を夢見ていましたが、確認申請許可に手間取り、加えて購入した土地から埋蔵物出土の可能性もあると言うことで、10月完成はさらに延び、今では12月のクリスマスに間にあうようにと祈り始めました。

　そういえば、時々「素敵なチャペルができましたね」と声をかけられ驚くことがあります。どうやら現在2時間3万円で借りて礼拝している結婚式場を、ホームページなどで目にした方が、そこが新会堂と勘違いされたようです。

　山あり谷ありの日々が続いています。今頃は、400年前の器などが間違っても出土しないようにと、祈りをささげています。万が一発掘作業などが始まって、何か月も何年も、工事が先延ばしになったら大変です。

　希望と不安、計画と心配が、交錯する形で毎日が進んでいます。いつの日か、このような生活から解放される日がくるでしょうか。私たちは、その時までもつでしょうか。

7月1日

　今私は韓国上空を、金浦空港に向かって飛んでいます。今日からソウルにあるオンヌリ教会でお話です。この教会はラブソナタ集会を日本各地で開催していることで知られています。今回は、日

本に対して熱い思いを寄せてこられたハ・ヨンジョ牧師の遺言により、『流浪の教会』を韓国語で『奇跡の舞台となった教会』と題しオンヌリ教会系ツラノ出版社から出版していただいた経緯がありました。後任となられたイ・ジェフン主任牧師に声をかけていただく形での、訪韓となりました。

オンヌリ教会からは、多大なご支援もいただいています。私たちはいったい、世界中のどの方角になら、足を向けて寝ることができるでしょうか。

ところでこの飛行機、間もなく空港に到着します。その後すぐに、今晩本堂で開かれる水曜集会へと直行します。果たして神さまは、今回の訪韓を通し、どのようなドラマを用意しておられるのでしょう。少しどきどき、どこかわくわくしながら、これも震災に遭ったからこその恵みと受け止めて、感謝と共に訪韓することにします。

7月18日

8日間のソウル滞在を無事終えて、私は今、帰途についています。予感はしていましたが、結構びっしりのスケジュールでした。その間パソコンに向かう時間はなく、今こうして機上で打っています。オンヌリ教会は、信徒約6万人で、日本の教会とあまりの違いに圧倒されるばかりでした。けれども、昨年3月の震災以降、その渦の中にどっぷりと漬かり、流されて行くようにも感じていた私にとって、ちょっとしたショック療法か転地療法にもなったでしょうか。

今回は特に、妻と共に初めて、時間を見つけ北朝鮮に相対峙する38度線に行くことができました。板門店の緊張の中に身を置きながら、そういえばオンヌリ教会のハ・ヨンジョ先生のご家族も60年前に起こった朝鮮動乱の際、南へ難を逃れて来られたこ

とを思い出しました。その時の苦しみは、いかばかりだったろうと思います。韓国訪問は今回で8度目ですが、このたびは不思議に私たちの関心は、この地でかつて人々が経験した苦しみへと向かいました。

　DMZと呼ばれる38度線をまたぐ形で続く非武装地帯は、皮肉なことに現在世界中で絶滅の危機に瀕している野生動植物の、貴重な宝庫となっているそうです。そういえば、今も立ち入り禁止の私たちの故郷も、原発事故により突如として人が消え、1年半の歳月が流れ、ダチョウや牛、豚などがすっかり野生化して、ところ狭しと走り回っています。もしかして私たちの故郷も、ひょんなことから出現した、現代版DMZといえるでしょうか。

　それにしても今回は、見聞きするものすべてが心にひっかかり、何だか人ごととも思えなくて、気がつくと足を止めている場面が多かったように思います。北朝鮮をかなたに臨む境界線には、「望郷」と刻まれた石碑がありました。昨年の出来事に続く今年のせいか、故郷福島をはるかに臨んでいるような不思議な気持ちにもなりました。目がしらが急に熱くなったり、韓国で、思いもかけない自分を発見したようです。

　かつてこの地で繰り広げられた朝鮮半島分断の悲劇が、私たち夫婦の心にこれほど響くとは思いませんでした。300万人もの人が亡くなり、1000万人も北から南へと故郷を追われ、流浪したのです。動乱の中で親とはぐれ、孤児もたくさん生まれたと聞きました。レベルははるかに異なりますが、家と故郷を失ったという点で、似たものを感じたからでしょうか。

　今日本でも、福島県人は県内に約9万人、県外に約6万人、計約15万人の人々が、家と故郷を追われて避難生活を送っています。

ある人は家族がばらばらの状態のまま、長引く、突然の仮の宿住まいに、みんなじっとよく耐えています。やはりあの日以来、信じられない光景が目の前に繰り広げられているという点で、どこか似ているように、感じたのだと思います。

人は、心と体で体験したことは、絶対に忘れないそうです。私たちも、忘れません。忘れようとしても忘れられないし、忘れてはいけないとも思います。

先日、ある教会のご婦人が、昨年の震災に続く原発事故直後、避難所におけるつらかった出来事について話してくださいました。当時誰もが考えていたように、彼女もすぐ帰れると思い、愛犬を自宅につないできたというのです。すぐさま連れに行こうとした彼女は、故郷への入口で、制止されたそうです。

「犬たちが首輪につながれた状態で、家で私が迎えに来るのを待っているんです」とどんなに訴えても、「今戻ると、放射能であなたが死ぬかも知れないんですよ」と、ついに入れてもらえなかったというのです。あの時の無念さは一生、忘れようとしても忘れられないと、話しておられました。

そういうわけで、今回の訪韓は私にとって、民族分断の地に立って初めて気づく、自分自身との新たな出会いとなったようです。震災後、微妙に変化した、自分自身と向き合う時となったでしょうか。聞いてもわからず、見たからといってすぐさま理解できない世界があることも、知りました。

帰国後は、数字や映像では伝わらない震災生の声を、伝えようと再決心しました。語る責任があると、自覚もしました。

人にはそれぞれ、戦争体験や家族を失う等の、耐えがたい苦しみがあるように思います。それはしばしば、突如襲いかかる火

のようも見えます。そしてそこで経験した痛みは、恐らくはその人がその後どれほど恵まれた経験をしたからといって、消えたり相殺されることはないと思われます。それどころか、しばしば封印されたはずの深層の傷は、うずいたり、フラッシュバックしたりするようです。

しかし、新たな人生の旅立ちは、そこから始まるのだと思います。「あの経験がなかったら、決して今の自分は無かった。こんな世界が、もたらされることはなかった」と言える未来が、きっと来る、と。また、あの体験がなかったら、真に共感することのできなかった世界があることを知った、という意味でも。

やがて冬は過ぎ、春が巡ってきます。この世界は、長くて苦しい試練の後に、新たな世界が到来することを、いにしえより物語っているのでしょうか。

「苦しみに会ったことは、私にとってしあわせでした。私はそれであなたのおきてを学びました」(詩篇119篇71節)

7月25日　ソウル〜成田便

お盆休みも終盤にさしかかりました。私は今、琵琶湖を左手に眺めながら、JR湖西線を走っています。実は、昨日の大雨で土砂崩れが発生し、快速電車は終日運休となり、そのことも知らずに駅に着いた私は、急きょ各駅停車に切りかえ京都駅に向かっています。果たして予約した京都発東京行き新幹線と、東京駅での待ち合わせスケジュールに、間にあうでしょうか。

人生は、日々はらはらドキドキの連続です。

ところで、今回のダイヤの乱れの原因は、先ほど述べた昨日の大雨です。昨年起こった大震災ほどでないにしても、何だかこの

ところやたら自然の猛威が目につき、人間世界が右往左往する日が多いような気がします。昨年震災に遭ったばかりなので、意識のしすぎでしょうか。それともこのところ自然が荒れる頻度が、日本や世界各地で頻繁になったでしょうか。

　そういえば、昨年の大震災前夜、3月10日の夕焼けが普通ではなく、西の空を溶かすかのようで、私たち夫婦はぎょっとしたという話は以前紹介しました。最近、その3日も前から、東北地方の上空に、異変が起こっていたという話を聞きました。大気の温度が急上昇し、東北地方一体から何らかの物質が大空高く舞い上がっていたというのです。

　天と地はつながり、造られた世界は連動し、その日万物はうごめき、自然もうめいていたのでしょうか。

　「私たちは、被造物全体が今に至るまで、ともにうめきともに産みの苦しみをしていることを知っています」(ローマ人への手紙8章22節)。

　話は全く変わりますが、我が家も明日から、ちょっとした夏休み気分です。愛くるしくも、時に小獣（？）のようにも見える孫たちが、1泊で里帰りします。里帰りと言っても、家も故郷も失ってしまったため、現在借りている小さなアパートへとやってきます。

　こうなってみると、侵入禁止のあの故郷は、山あり海あり川までありの、自然豊かなこの上もない故郷でした。孫たちに向かって、「あなたのお母さんはね、この土地で生まれて、あの公園で遊んで、あの学校に通ってね」と言って聞かせられないのが、残念です。もはや孫たちの記憶の中に、母親のルーツが実体験として刻まれることは、ないのでしょうか。

　きっと小学生になったら、おじいちゃんとおばあちゃんの家に里

帰りして、野山を駆けめぐり、川魚を取ったり、蝉やかぶと虫を手にして、麦わら帽子姿で汗を拭き拭きスイカも食べたことでしょう。そして、私たち夫婦はお爺さんお婆さん役気取りで、偉そうに「あなたのお母さんが子どもの頃はね」と、話して聞かせたに違いありません。

　ああ、一体いつまで私は、失われた未来をいとおしむのでしょう。

　そうだ、妄想にふけっている場合ではありません。こんなふうにして最近私が、一向にブログを更新しないため、もしかして私が福島で、鬱状態に入っているのではないかと、危惧する声があるとも聞きました。

　私は大丈夫です。ですが、本当に大丈夫なのかどうかは知りません。確かに、以前のようにこの震災ダイアリーを更新できないのも、集中力が切れてきたせいか、今頃疲れが出てきたせいでしょうか。

　だから明日こそは、飛び跳ねて踊り来る孫たちの来襲を迎撃し、果敢に応戦し力尽きるまで闘いましょう。そして、密かにみずみずしい彼らのいのちのエネルギーを吸収し、私の新たな元気の源とすることにしましょう。

P.S. 先ごろ、NHKのETV特集でヴィクトール・エミール・フランクル著『夜と霧』の解説番組が流れていました。我が家のどこかにも、地震直後そのままの、本棚から崩れ落ちた本の山のどこかに、その本は埋もれています。

　フランクルは、第2次世界大戦時にアウシュビッツ収容所に入れ

られたオーストリアの精神科医で、収容所の中で次々と人が死んでいく光景を目の当たりにしながら、人間や人生を鋭く洞察します。番組の第1回で取り上げられたのは、彼が極限状態で見た祈りと希望でした。

　彼は、一見屈強そうに見える人が強いのではなく、祈りをささげる人や、どんな状況下でも希望を失わない人の中に、いのちの強さを発見します。過酷な状況下で、ひたすら自分中心になっていく多くの人も見ましたが、自分の食料を他の人に与える不思議な人々にも出会いました。そんな中彼は、人間には心の中で祈りをささげ、どんな状況下でも希望をかかげる自由があり、それは、ナチも他の何者も奪うことはできないのだと確信します。

　そして、どんな時も希望を失わないことが、いのちの原動力になることも。確かに、人の幸、不幸は、状況にそのまま支配されるものではありません。たとえば「最悪の不幸でないならば、不幸とは言えないのではないか」、という逆転の発想も、極限の状況下、心の中でもたらされる、柔軟な考え方からくる、ひとつの希望やしあわせの見い出し方かもしれません。

　だから私も、自分の心のコントロールに気をつけましょう。

　「力の限り、見張って、あなたの心を見守れ。いのちの泉はこれからわく」(箴言4章23節)

8月15日

　こんなふうにして、やっとの思いで、8月も末の今日、再び韓国へ旅立つ直前に、ブログのアップにたどり着きました。ご心配おかけしました。

私は、大丈夫です。お祈り、感謝します。

8月31日

佐藤　彰

避難生活報告　その57

「大海原の海図のように」

　韓国上空を飛んでいます。今週私は北海道にいたため、福島に戻ってすぐばたばたと旅支度をして家を飛び出し、危うくパスポートを忘れ電車に乗るところでした。空港が成田でなく羽田であったことも原因したか、飛行時間が2時間だったせいもあったか、すっかり国内旅行の気分でいました。もしもあのまま成田空港に向かっていたらと思うとぞっとします。近未来の自分に、すっかり自信を失くしています。

　空港では、迷った挙げ句、ソウル行きに搭乗する直前、海外旅行保険に入りました。今晩着いて、明日は日本にとんぼ帰りするのだからと、なしでもいいかとも思いましたが、何が起こるか分からないのが人生と思い直し、加入し搭乗しました。すると、どうでしょう。離陸した飛行機はソウル上空で、普通でない乱気流に巻き込まれ、機体は激しく上下に大揺れに揺れました。

　震災は過ぎ去ったものの、人生明日何が起こるかほんとうにわからないと、改めて思い知らされて旅することとなりました。

8月31日　ソウル便にて

　今私は、ソウルからの帰国便に乗っています。昨晩は金浦空

港に着いてすぐ、そのままホテルへ直行し、翌日の午後に、ソウル市内の幾つかの日本人教会と日本語礼拝をもつ韓国人教会合同でもたれた、日本人向け伝道会「東日本大震災支援集会」で、お話をしました。オンヌリ教会礼拝堂が会場でしたが、驚いたのは、先月訪韓した際には礼拝堂内が椅子でびっしりだったはずなのに、今回はまるで礼拝堂が様変わりして、円卓が一面に配置され、韓国伝統のお茶菓子がセッティングされていた点です。プログラムは、日本各地でもたれているラブソナタ集会の、逆輸入バージョンソウル版といったところでしょうか。

　ソウルでこのような大がかりな日本人向け伝道集会が合同で開かれるのは、初めてとのことで、果たして何人集まるのかわからないとのことでしたが、ふたを開けてみると、ほぼ満席でした。昨年3月11日、日本で起こった巨大震災に、今も海外におられる多くの方々が、関心を寄せてくださることに、感謝しました。

　残念だったのは、先月の訪韓とは違い、国際情勢が緊張感をかもし出していた点です。どこかきな臭い雰囲気の中、政治の動きを横目で眺めながら、訪韓しました。ただ、そんな中でもたれた集会名が「きずな」だったことは、何だかこのような時にこそ、細くて粘り強い民間の草の根レベルの交流が必要なのだと、物語っているようでした。

　私たち自身これまで、震災以降、どれ程の方々の心温まる支援に支えられてきたことでしょう。行政からもそうですが、それをはるかにしのぐ頻度とスピード感をもって、有形無形の助けの手が、私たちの元に押し寄せてきました。いつ、何回思い返してみても、まるでドラマを見ているかのようです。

　思いもよらないそれらのきずながかけ橋となって、私たちを励

まし、絶体絶命と思える状態の中で私たちは助けられました。今回の、国家間に横たわる緊張も、数々の民間の間にかけられたきずなが和らげ、網の目のように張り巡らされたかけ橋が、危機の回避に一役買うことはないだろうかと、淡い期待も寄せました。天から下られた救い主イエスは、天と地をつなぐ和解の使者となられたのですから。

「平和をつくる者は幸いです。その人たちは神の子どもと呼ばれるから」(マタイの福音書5章9節)

9月1日　ソウル〜羽田便にて

昨日、震災で栃木に散らされた2人の教会員を訪ねました。避難生活も1年半にわたると、冗談抜きで持久戦状態です。今回訪問した内のおひとりは、昨年3月の避難命令で、故郷を追われご親戚の元に身を寄せ、御両親共々、子ども連れでの疎開(?)となりました。ご家族を受け入れられたご親続も、きっとお互い大変な日々を送られたことと思います。その後、お母様は長引く避難生活で体調を崩されたとのことです。

今回お訪ねしたもう一人は、避難先で老人ホームに入居されています。94歳になられますが、震災前は気丈で、お一人暮らしをしておられました。畑を耕し、自炊自立で、少々の運動も、日々の日課でした。けれども震災以降は、突如の避難生活に続く老人ホームへの入居となり、今では、老人ホームの外に出ることもかなわず、建て物の中を、日々4周歩いておられるとのことでした。

どうしても、かつて故郷の教会で嬉々として通っておられた様子を、思い起こしてしまいます。ひとりで自由に暮らしておられた日常が奪われたことが、他人事ながら悔しくて、別れ際まで、私

は内にじくじたる思いを噛みしめていました。ただ、それでもその方はさすが元海軍の将校らしく、激動の中でも自分を保ち、何がどうなろうと「イエスさまから目を放さず、天国を目指しここで歩みます」と、気丈に語っておられました。

とはいうものの、別れ際はなかなか握った手を離そうとされず、「もしかして、これが最後かもしれない」とばかりに、長い時間まじまじと、私の顔をじっと見つめておられました。その方、実は、私が牧師となった25歳当初から、「この方は、日本一の牧師」と、ところ構わず、穴があったら入りたくなるようなことを宣言してこられました。その都度赤面し、身の置きどころがない気持ちになりましたが、今こうなってみると、それもまたありがたく、かけがえのない思い出です。

やっぱり私たちは、引き裂かれたのだと思います。

まさかこのまま、すべてかけがえのない故郷での思い出の一つ一つが、セピア色にでも変色し、ほんとうに想い出となって固まってしまうのだろうかと、老人ホームでの別れ際、いつまでも離さないその方の手を仕方なく振りほどいた瞬間に、大きな不安や悲しみが塊となって、私の中を駆け抜けたのでした。

福島のアパートに戻った私は、近くの電気店に足を運びました。カウンターで、店員さんに突然声をかけられました。「かつて双葉郡に住んでおられましたか」。お聞きすると、その方は侵入禁止中の故郷にあったかつての電気店に、勤務しておられたとのこと。そういえば見覚えがありました。転居先のこの町の中で、同郷から移り住んだ者同志、互いにかぎわけるサインが、顔のどこかに刻まれているのでしょうか。

その方は震災直後故郷を追われ、今はいわき市の仮設住宅に

入居しておられるとのことで、何とその仮設の前を、直前に通ってきたばかりでした。「あっ、ここにも仮設が」と。その仮設住宅は新築の家々が並び立つニュータウンの一角の公園の中に、まるで無理矢理割り込むかのようにして、建っていました。

いわき市内だけでも、このようにして仮設住宅が27か所に立ち並んでいます。町のあちこちに、所狭しと、少しの空き地でも見つけるかのようにして。町の随所で目にするそのような光景は、異様です。故郷は田舎でしたから、多くの人は広々とした一軒家に住んでいたはずです。それが今では、一見長屋のようにも映るプレハブの中で、じっと生活しています。どれ程の、ストレスでしょう。

ひとり暮らしの方は、仮設住宅では、4畳半です。そこでの生活をある方は、「まるで刑務所のようだ」と表現し、別の方は「収容所」と述べました。

だからでしょうか。ばらばらになった者同志、あの日追われた懐かしい故郷を互いに偲び合うかのように、もしくは心のどこかにぽっかり空いた穴を埋めるかのようにして、きっと互いに声を掛け合い、きっと同質の哀愁を漂わせているのだと思います。どこにでもいい、いくつあってもいい、架け橋が至るところに築かれるといい。震災後きずなネットワークがそこここに、まるで網の目のように張り巡らされるといいなどと、韓国から戻ってなお、私は「きずな集会」にいるようでした。

9月4日　栃木県訪問の帰りに

いよいよ、教会堂建設工事が始まりました。お祈り、感謝します。建築の許可が下りて、地中深く岩盤にまで到達する、23本の杭打ち工事が始まりました。いわき市は全体に地盤が軟らかいそう

で、今まで私たちが行った教会建築で見たことのない、大がかりな基礎工事が行われました。聖書には、砂の上に建てるのではなく、岩の上に建てられる家作りが記されています。今回の教会堂も、今後再び地震が来ても、かえって新会堂の中に逃げ込む位の、頑丈な建て物が建てばいいと、願っています。

工事はまだ始まったばかりですが、これから、旧約聖書ネヘミヤ記に記されたエルサレムの城壁再建のような、ハガイ書の神殿再建のような、物語がつづられていくでしょうか。

ところで今私は、北海道上空にいます。福島空港から札幌の千歳空港へ向かい、そこからさらに女満別空港へと飛びながら、北の大地を見降ろしています。実は今週の水曜日、栃木から戻ってすぐに、発熱しました。夏風邪だったのでしょうか。木曜日からは、今度は腰が立たなくなり、結局昨日まで2日間、立ち上がることができずに、会堂建設の打ち合わせなど、2つの予定をキャンセルしてしまいました。

というわけで、今日からの北海道も、果たしてどうなるものやらと危ぶまれましたが、こうして腰に湿布を貼り、上からベルトを締め、何とか向かっています。車で福島空港まで向かう際、妻は「直前まではらはらしても、いつも出かける時には何とかなる」とあきれ顔でした。私も自分ごとながら、「あんなに家の中で腰砕け状態だったのに、朝になると、こうしてなんとかなっている」と少々あきれています。

福島空港では腰をくの字に曲げながら、搭乗口にまでたどり着き、こうして、札幌で飛行機を乗り継いだ私は、北見へと向かっています。今回の集会は、ゴスペルコンサートとの抱きあわせで、福島支援チャリティーコンサート集会です。もちろんどの集まりも、

ドタキャンするわけにはいきませんが、今回もはらはらドキドキしたものの、結局神さまに抱きかかえられるようにして、運ばれています。

　　　　　　　　　　　9月8日　札幌〜女満別便

　今日は9月10日、月曜日。北見での震災講演会も、ゴスペル震災支援コンサートも守られて、少々腰をくの字に曲げはしましたが、何とか語り終え、北海道を後にしています。今回も、何人かの方から、「震災以降、ホームページを見ていました」とか、「お気に入りに、入れて見てます」等、ありがたいおことばをかけていただきました。「私はクリスチャンではありませんが、ひょんなことからこのサイトに出合い、ずーっと追い駆けてました」という方にも出会いました。震災の中で、ネットの時代が生んだ、思いもかけない、絆でした。

　思いがけないと言えば、今週は神社庁から声をかけていただいて、集会に伺います。神主さんやお坊さんの前でお話するのは、初めてです。震災後、ミッションスクールにも随分伺いました。これも震災が体験させた新しい世界でしょうか。私は今、震災後築かれたネットワークの中を歩んでいます。

　かつて、後に伝道者となるパウロの人生を、神は「あの人はわたしの名を、異邦人、王たち、イスラエルの子孫の前に運ぶ、わたしの選びの器です」と告げられました（使徒の働き9章15節）。さらには、「彼がわたしの名のために、どんなに苦しまなければならないかを、わたしは彼に示すつもりです」(同16節) とも。そういえば15節に記された「選びの器」は、私が24歳当時、神学校卒業時に取りあげたレポートのテーマでした。今頃になって、そ

のことばは何だか、まんざら人ごととも思えない不思議な響きをもって、私に迫ってきます。

ペテロの人生もまた、同様でした。彼の後半生を主は、「まことに、まことに、あなたに告げます。あなたは若かった時には、自分で帯を締めて、自分の歩きたい所を歩きました。しかし年をとると、あなたは自分の手を伸ばし、ほかの人があなたに帯をさせて、あなたの行きたくない所に連れて行きます」と告げられ、同僚のヨハネは「これは、ペテロがどのような死に方をして、神の栄光を現すかを示して、言われたことであった」(ヨハネの福音書21章18、19節)と解説しました。

彼自身思ってもいないところへ引いて行かれ、最期は殉教の道をたどる、との主イエスのことばは、その通り、彼の人生に実現しました。あの時点で、彼がわかっても、わからなくとも、です。

きっと私たちそれぞれのささやかな人生にも、そのような、まるで大海原を導く海図のような、神が引かれた1本の道が、記してあるのだと思います。そして、その道の上を天を仰ぎながら進む時、震えたり、苦しんだりしながらも、要所随所で、神さまの大きな御手を感じる仕掛けがしてあるのだろうとも。

9月10日

今日は、9月16日。なのに私は、相変わらず腰が曲がったまま移動しています。今回は10日も経つというのに、長引いています。けれど、そうも言っていられず、今岡山に向かう新幹線の中にいます。

長引くと言えば、避難生活は1年半も過ぎ、これは本当に異常な事態だと、あるお医者さんがテレビで訴えておられました。

先日も、あるミッションスクールで講演した時、「何か、私たちにできることはあるでしょうか」と質問を受け、「もしも、お近くに福島から引っ越してこられる方がおられたら、きっと余程のものをかかえてのことと、思いやっていただけるなら、ありがたいです」と、訴えてきました。

　背後に、大きな神の御手と、身近に多くの人々のエールを感じながらも、震災後1年半を迎え、ぎりぎりの旅は続いています。

9月16日　佐藤　彰

避難生活報告　その58

「巣作り」

　4組の家族が、建築中の教会の近くに、中古住宅を購入し、居を構えました。今週は5組目の家族が、中古物件を購入する予定です。来年に向け新築を考えておられる方もあり、教会の再建に向け、心強く思います。

　私は今、巣作りの最中でしょうか。突然の嵐で、一瞬で吹き飛んでしまった教会やそれぞれの住まい作りを、木の葉や枝などをかき集めるようにして、試みているのでしょうか。教会の方が再び住まいを確保し、閉鎖中の教会堂が新たな形で再建されるのなら、労苦はいといません。

　それにしても、もう悲しみは十分味わったと思っていたのに、悲しいことはいつまで経っても悲しく感じられるものです。避難生活が長引いているせいか、年齢のせいなのか、ここにきて体調を崩される方も多く、その都度胸は痛みます。人生に卒業式が無いならば、悲しみにも卒業はないようです。

旧約聖書のヨブ記には、財産、家族、それに健康までをも失なったヨブが、言語に絶する苦しみの中で、信仰も友人関係も崩壊していくように見える中で、苦しい時期を経て、その後新しい世界に引き出されていく様子が記されています。

　失った財産はすべて2倍となり、子どもたちも息子7人、娘3人に恵まれて、しかも息子の数は、聖書の世界の完全数で、娘たちについては「ヨブの娘たちほど美しい女はこの国のどこにもいなかった」(ヨブ記42章15節)と記されています。彼の後半生は、一瞬にしてそれまで築き上げたすべてのものを失った後、そのすべてを倍加の祝福をもって回復し、新たなスタートを切るという、劇的なものでした。

　私たちは今回、思いもかけない震災に遭いましたが、被災して1年半が過ぎ、あの苦しみの道を通ったすべての方が、ヨブが味わったのと同じ祝福に与るといいと心から願っています。一人ひとりから「私は半端でない苦しみに与かったけれど、今は失ったものを、2倍の祝福をもって回復しました」と、笑顔がこぼれるのを見てみたいのです。

　もちろんかつて経験した悲しみが消えるわけではありません。ヨブも、再び子どもに恵まれたからといって、かつて失った子どもたちが返ってきたわけではなく、悲しみはいつまでも心に刻まれていたはずです。

　にもかかわらず神は、彼の痛みを覆い、大きな祝福をもって彼を包まれました。

　全国に散らされた人たちも、これからもっと恵まれて、いつの日か、涙を完璧に上塗りするほどの、こぼれる笑顔をもって再会したいのです。

何をもって幸せと感じるのかは、それぞれが心の中で決めます。十分恵まれているにもかかわらず、自分は不幸だと感じる人もいれば、何も無くても、自分は幸せだと告白する人もいます。

先日、教会員同志で恵みの分かち合いをしました。ある方が「実は故郷の自宅が、重荷となっていました。家が古くなるにつれ、修理が増え、維持管理に頭を悩ませていたところ、思わぬ震災に遭いました。やがてはこの家を手放して、町営住宅にでも入ろうかなどと思い巡らしていた矢先だったので、かえってこの震災を通しその重荷から解放され、これも恵みだったと思っています」と話されました。

別の方は、「今にして思うと、私はかつて仕事中毒のような生活をしていました。けれども今は、そんな生活の場から否応無しに引き離されて、人生を楽しみながら、程良く仕事をするように変えられました。これはこれで、よかったと思います」と。

他にも、「以前どうしてもできなかった断捨離が、できるようになりました」とか。

もちろん、自宅を追われ、故郷を失くして、悲しくないはずはありません。けれども、その結果見いだした世界もあったのです。私たちは、失ったものも大きかったものの、結果得たものも、小さくはなかったように思います。

かつてのヨブのように、神は半端ではない祝福をもって、これからの私たちをも養い続けてくださると信じます。私の方でも、不動産巡りもし、アパート探しもすることにしましょう。しばらくは、新たな巣作りに精をだします。それぞれの口から、「主は私を打たれましたが、今はこんなにも良くしていただいています」との告白を聞くまでは。

「ヤベツはイスラエルの神に呼ばわって言った。『私を大いに祝福し、私の地境を広げてくださいますように。御手が私とともにあり、わざわいから遠ざけて私が苦しむことのないようにしてくださいますように。』そこで神は彼の願ったことをかなえられた」（Ⅰ歴代誌4章10節）、と祈り求めたヤベツのように。

　「あなたがたはイスラエル人をこのように祝福して言いなさい。『主があなたを祝福し、あなたを守られますように。主が御顔をあなたに照らし、あなたを恵まれますように。主が御顔をあなたに向け、あなたに平安を与えられますように』」（民数記6章23～26節）とモーセに命じられた、大祭司アロンのように。

　私たちは、自分の力によらず、恵みを恵みとして受け取る訓練中なのでしょうか。

　以前、東京のキャンプ場にいた時、宣教師の先生がこんな話をしてくださいました。「ただで受けるのは、よほど苦しいでしょう。宣教師生活の第1歩も、各教会をまわり支援をお願いするところから始まるのです。自分の力で生きるのではなく、与えられたものを感謝して受け取り、生活することを学ぶところから」

　私たちも今、そんな生活の勉強中でしょうか。震災で1度はゼロベースになり、神と人々から多くのいつくしみを受け、ただ恵みによって、ここまでたどり着きました。これは、神の国の営みの方程式の、勉強中だったのでしょうか。

　もとより、罪のゆるしも救いの世界も、天の御国に至る道も、一切は神の恵みなのですから。

　　　　　　　　　　　　　10月5日　あずさ17号にて

　私は今、長野県にいます。飯田市での集会を終えて伊那に向

かう飯田線の中です。飯田市は、昨年3月の震災直後に福島県相馬の人たちを、たくさん受け入れてくださったとお聞きました。ありがたいと同時に、あの東北の太平洋岸から、こんなに内陸にまで当時避難して来たのかと思うと、あの震災がただの震災ではなかったことを、改めて思いました。まるで、戦争にでも出遭ったかのように、空から爆弾でも降ってきて、一瞬にして四方八方に、故郷のはるか遠くにまで散らされたのだ、と。

　震災の爪跡は、想像を超えて広く、傷口は予想以上に深く見えます。

　私ごとですが、このように各地をまわる旅ガラスのような生活も、震災後1年半を迎えそろそろ終期かと考えています。年末のチャペルの完成を機に、1つの教会の牧師として本来の生活に戻る時期か、と。もちろんまだ、すべては異常です。非日常は果てしなく続き、先は見えません。けれども、このような生活をいつまでも続けるわけには行かず、どこかでギアチェンジが必要と考えてきました。

　震災と一蓮托生（仏教用語ですが）のような旅の生活も、それはそれとして懐かしく、震災がもたらした恵みの一つとして、受け止めています。

　　　　　　　　　　　　10月6日　長野県飯田線にて

　昨日、1年半ぶりに長野県に避難している教会員と再会しました。礼拝をともにささげた後、積もる話をするうちに、その方は長引く避難生活の中で、鬱状態に陥った話をしてくださいました。無理もないと思います。誰であれ、突然我が家を追われ、故郷を失い、訳のわからない中、否応なしに旅から旅生活が強いら

れたら。

　うかつだったのは別れ際、私の意志と関係なく、一瞬涙で顔が曇りかけたことです。慌ててとり繕ったものの、一体いつまでこんな風に自分の顔がコントロール不能な状態は続くのかと、嫌になってしまいました。

　ところでその教会員、震災後は新潟県小千谷市に避難されたとのことです。着いてみると、新品のパジャマから下着までが避難所にずらっと並べられており、出迎えた市長が「どうぞ、好きなだけ持って行ってください。私たちもかつて被災し、その時多くの方々に助けられました。やっと、恩返しをする機会がきました」と話されたというのです。またしても、私の目がしらはかってに熱くなり、危うくコントロール不能状態に陥りかけました。

　その教会員は、震災後7日間着替えが無かったそうですから、どれ程ありがたく、身にしみたことでしょう。

　その後、市内の各家庭にホームステイとなり、その方は1週間お寺のお坊さんの所でお世話になったそうです。旅立つ際には、お見舞いまでいただいたそうで、3度私の目がしらは危うくなりました。ほんとうに一体いつまで、悲しくては泣き、うれしくては泣く異様な状態は続くのでしょう。

　　　　　　　　　　　　　　　10月8日　伊那市にて

　私は今、成田から台北に向かっています。台湾は今年2回目ですが、今回は台北から高雄に南下して、保守バプテストの60周年記念大会で震災の話をします。今回は、どんな旅となるのでしょう。

ところで一昨日、姪の結婚式のため、岩手県にあるキャンプ場に向かいました。まず年老いた両親を迎えに行き、直前までどしゃ降りの雨が止んだことにほっと胸をなでおろしたものの、山間にあるそのキャンプ場は思いのほか寒くて、野外で行われた結婚式の間中、直前に体調を崩して参加した両親の健康が心配でした。すると、どうでしょう。子や孫たちが向かい風の前に立つようにして、椅子に座った両親の前後左右を取り囲み、これはまるで南極の皇帝ペンギンのようだと、奇妙な光景を、ひとり思い浮かべたのでした。

厳冬下の南極で、大事な卵を足の上に乗せて自らの毛でおおい、孵化のその日まで根気強く立ったままの状態で、極寒の間じゅう過ごす皇帝ペンギンたち。皆が少しずつ立ち位置を変えながら、風当たりをも分かち合う、あの光景と重ね合わせたのです。

もしかすると神も、私たちの旅路の間中ずっと私たちとご一緒してくださり、昼は雲の柱、夜は火の柱となって、まるで盾のように私たちを取り囲んでくださっていたのかと、聖書のことばを思い浮かべました。

「主はわが巌、わがとりで、わが救い主、身を避けるわが岩、わが神。わが盾、わが救いの角、わがやぐら。ほめたたえられる方、この主を呼び求めると、私は、敵から救われる」(詩篇18篇2〜3節)

10月15日　成田〜台北便

台北で宣教師墓地を訪れ、かつて台湾に宣教に来られた宣教師たちの話を聞きました。ある方は、大学教授になれた道を歩めたはずなのに、宣教師の道を選び台湾に渡り、最期は栄養失

調が原因で亡くなられたとのこと。またある日本人宣教師は、少数部族の首狩り族に伝道して、殺害され、復讐を誓ったその息子もまた、最期は台湾への宣教師となられたということでした。

中でも、とりわけ台湾宣教の歴史に刻まれたカナダ人のマカイ（馬偕）宣教師の話は、心に残りました。彼は生涯をかけて、台湾の山々海辺を巡り、川を渡ってくまなく宣教し、神学校をつくり、弟子を育て、その足跡は今では幼稚園から大学まで続くミッションスクールとなり、あるいは大きな馬偕総合病院となって受け継がれていると。そういえば、街にマカイ宣教師の銅像や、「馬階ストリート」と名付けられた通りまでありました。

ひとりの人が神に召され、その道は親や姉の死に目にも会えない厳しいものであっても、その残すものがいかに大きいかを思い知らされました。

私たちの故郷にも、かつてアメリカ人宣教師が来日しました。田舎伝道を試みて来日したその奥様は、日本の土となられました。そして産声を上げた教会が、今に続く私たちの教会です。後の日に、大震災の大嵐の渦に巻き込まれ、流浪する旅を始めたのも、これも不思議な神の国の物語でしょうか。「ガリラヤから世界へ」と、かつて私たちの教会は、その未来を宣言しました。けれどその彼方に、まさかこんな物語が待っていようとは、誰が想像するでしょう。いまだ先は見えず、明日は手探りです。ただ、このような形で出会ったこともない方々と出会い、海の向こうの人たちともつながりを持つようになろうとは、思ってもみない展開でした。

石ころからでもアブラハムの子孫を起こされる神は（マタイの福音書3章9節）、吹けば飛ぶような私たちにも目を止めて、ここまで手をひいてくださいました。私たちも間違いなく、神の国の

1章

物語の中にいます。

　ところで私は今、台湾の新幹線の中にいます。この列車、もしかして日本製でしょうか。今回は、高雄で開かれた台湾保守バプテスト60周年の大会に招かれての訪台でしたが、テレビをつけても、看板を見てもやたら日本の番組や製品表示が目について、親日の暖かい雰囲気を感じました。

　台湾の保守バプテストからは、すでに多くのサポートをいただいてますが、今回は、それに続くものとなりました。感謝します。

　何かとぎくしゃくが伝えられる昨今の国際関係は、必ず変わると信じます。

　ところで、台湾のクリスチャン人口はかつて3パーセントだったのが、今では6パーセントに近づいていると聞きました。台北は15パーセントに近いということで、風習が強い田舎は難しいとしても、ならせば5〜7パーセントだとか。1000人を超える大きな教会も、今では国内に40以上もあるそうです。

　何ともうらやましい話ですが、「きっかけはありましたか」とお聞きすると、まずは教派を越えて一致した祈りがあったこと、次に現代にマッチした伝道の方法、それから小グループの活動だと教えてくださいました。付け加えてもうひとつ、地震や台風など相次いだ震災の影響もあった、と。それが、震災から10年を経て顕れてきたということでした。

　果たして天災は、人の心を神に向けるのでしょうか。

　そして日本人の心も、天の神に向くでしょうか。

　　　　　　　　　　　　　10月18日　高雄行き新幹線内で

　　　　　　　　　　　　　　　　　　佐藤　彰

先週、歌手のアルフィー・サイラスさんという黒人ゴスペル歌手をお招きして、震災支援ゴスペルコンサートを開きました。今は教会堂がないので、結婚式場をお借りしてのコンサートです。地方新聞で取りあげていただいたこともあって、結構な数の方が来場されました。現在建設中の教会堂にも、やがてたくさんの方が来てくださることを夢見ています。

　建設は、当初の予定よりはるかに遅れているものの、家を失った多くの方々の新たな住まいづくりとそれに伴う被災地の人手不足等を考えると、まだいい方かもしれないと言い聞かせています。家の建築を依頼してから着工まで1年も2年も待たなければいけない現状がここ被災地にはあります。

　そんな中、先週は鉄骨が建ち、何だか本当に鳥が翼を広げているように見えました。そう願い建築したはずなのに、自分で驚いているのはどうしたことでしょう。立地ロケーションがいいせいもあって、目の前の幹線道路を緩やかにカーブを切りながら車を走らせると、チャペルに向かって自動車が近付いているはずなのに、逆に教会が翼を広げて近づいてくるようにも見えて、これはいよいよ入れない故郷に向かって飛び立とうとする翼の教会だと、新鮮に感動を覚えています。

　私たちには、未来に向かってはばたく翼の希望が必要です。

　教会堂から放たれる、力があるかもしれません。数知れない方々から届いたエールに包まれる形で建つ翼の教会。夕暮れ時には、ちょうど故郷の方角に向かって立つ十字架の向こうに、二重に虹がかかっていました。まるで、天から降りた虹の垂れ幕のようにも見えました。

　平和を奏でる、復興のシンボルとなればいいと願っています。

ところで私は今、広島に向かう飛行機の翼の上です。かつて、原子爆弾投下後は、「70年は草木が生えない」と言われた広島だと聞きました。しかし、原爆投下からみるみるうちに広島は復活し、それは私たち福島の希望でもあります。以前は遠くに見ていた広島が、今は身近に感じられます。

　昨日は、妻と「座・高円寺」で上演された「石棺」という舞台劇を見てきました。当時、25万人もの人がチェルノブイリ原発の爆発によって家を追われ、原発から30キロ圏内の村人たちが移住を余儀なくされました。

　今は、空き家となったかつての避難区域には、チェチェン共和国やボスニアなどから、内戦の戦火をくぐってきた人たちが住みつくようになっているということでした。何と、目に見える砲弾の脅威にさらされてきた人々の目からみると、見えない放射能は恐れるに足らないと映るとか。確かに、より厳しい戦火の中ををかいくぐって生き延びてきた人たちに言わせると、放射能はまだいいレベルなのでしょうか。

　時を同じくし上野で、第2次大戦時、アメリカに在住していた日系人の作品展が開かれていました。彼らは2年から3年の苦しい収容生活の中で、彫刻や刺繍や家具などを作りました。かつて日本人がアメリカに移民し、血のにじむような苦労を重ねやっと築きあげた財産が、太平洋戦争勃発により没収され、収容所に送られ、果てはすべてを失ったところからの人生再出発を余儀なくされた、苦渋の歴史です。歴史の渦の中に巻き込まれたとはいえ、あまりに残酷です。

　ところが、そんな中から生みだされた作品は、苦しみにじっと耐えながらも不屈の精神をたたえ気高く、物静かで威厳があり、

悔しさや切なさをたたえつつも一様に前向きで、絶対に諦めない強固な意志を、時代を超えて目の前に立つ者に感じさせます。戦後、収容所から出てきた彼らは多くを語らず、我が家を失っても恨みごとを口にせず、それより子どもたちに向かって、アメリカを決して憎むことなく、あくまで未来に向かって前向きに歩んで行くようにと、促しました。

　多くの出来事を飲み込み、人間としての気高さや誇りを忘れることなく、どんな状態に陥っても前に向かって進むようにと、それらの作品は時代を超えて、震災後を生きる私たちに向かってもささやいているようです。

　　　　　　　　　　　　　　11月10日　羽田〜広島便

　私は今、宮崎に向かっています。今日から、10日間の予定で、宮崎〜静岡〜神奈川〜福岡と巡ります。長い旅です。昨日は、92歳になられるご婦人とお別れをしてきました。避難生活の疲れもあったでしょうか。その方は、いわき市に来られて後体調を崩し、入院をされました。そして退院後、親戚が待つ東京の老人ホームに旅立たれました。

　私たち夫婦が、ちょうど出かけている間の引っ越しとなるため、昨日ひと足早いお別れの挨拶を交わしてきました。涙ぐんでおられました。私がその場で詩篇23篇と121篇を朗読すると、彼女はその両篇をどうやら暗記しておられ、聖書も見ずに私と一緒に口ずさまれました。そのご婦人はまことに、その場面が象徴するような方でした。

　私たち夫婦は、そのご婦人にこれまでどれほど支えられてきたでしょう。うれしいときも、つらいときも、どんな時も淡々と天を

仰いで祈りをささげ、ぶれることなく教会と私たち夫婦をも支えてくださいました。

　震災時は、故郷から会津までの逃避行を余儀なくされ、その後は私たちと一緒に米沢に向かって吹雪の峠越えをし、その後東京への集団疎開、そして福島県へのUターンと、まるで劇画のような激動の旅をしてこられました。90歳を超えた彼女にとっては、どんなにか過酷な旅だったでしょう。私がそのご婦人を指し、「教会の宝です」と表現してきたのはほんとうです。

　このようにして震災後、大切な方々とお別れをしなければならないことは、無念です。けれどもその姉妹が、これまでの人生の道のりで一貫して他人の悪口を言わず、噂話に加わることなく、天を仰いで神に信頼し続けてこられた後ろ姿を思い、私たちも、たとえ家を追われ、故郷を離れ、明日が見えない日があったとしても、前に向かって進みたいと思います。

　別れは何度繰り返しても悲しいけれど、気を取り直し、神の「宝の民」の前途を祝福することにします。だって聖書がそんな彼らを、そのように呼んでいるのですから。

　「あなたは、あなたの神、主の聖なる民だからである。あなたの神、主は、地の面のすべての国々の民のうちから、あなたを選んでご自分の宝の民とされた」（申命記7章6節）

11月21日　羽田〜宮崎便

　特急「きりしま」に乗って、雨の中の宮崎県を移動しています。聞くところによると、ここにも、福島県から多くの避難者が移り住んでいるとのこと。「こんなに遠くにまで」と、驚きました。放射能汚染を逃れ、東京では安心できず、ここまで来て子育てや第2

の人生を送っているのでしょうか。

　ところで歴史をさかのぼれば、ここも西南の役の舞台となり、薩摩と官軍が入り乱れ、遠くから集められた兵士たちの中で、後にこの地に住みつく人々も結構いたとか。時代に翻弄され戦に巻き込まれ、故郷を離れて、思わぬ地に住みつくようになった人の世の営みは、時に戦争に起因したり、事故や天災がきっかけだったりと、そのようなことが繰り返されることを思いながら、今、霧島のそば近くの景色に目をやっています。

　　　　　　　　　　11月22日　特急きりしまにて

　掛川から博多に向かい、新幹線に乗っています。一昨日、96歳の教会員が栃木の病院から天に召されました。その朝はお元気だったのに、容体が急変したようです。無理もない気がします。その方は、昨年3月の大震災に次ぐ原発事故直後、故郷を追われ、そのまま避難先から県外の老人ホームに入られ、徐々に弱られたように見えました。「お元気であったのに」と、正直悔しさも込み上げてきます。老人ホームでは外出がままならず、遂に1度も福島の自宅に戻ることなく、そこから天に召されました。

　天が最期の故郷とは言うものの、何とも言えない無念を感じます。

　先に触れた、92歳のご婦人も、昨日関東の老人ホームに旅立れました。福島に戻った後体調を崩し、一時歩行困難となり、回復はしたものの体力の限界を感じての決断でした。私は静岡にいて立ち合えませんでしたが、福島では涙のお別れ会となったようです。関西や九州にいると、何だか震災が遠い昔のように、錯覚しそうです。

震災後1年8か月を経、何も変わってないどころか、震災時の傷がボディーブローのように効き始めています。

　そんな中、被災地に建つ翼の教会の十字架は、闇を照らす光となるでしょうか。傷をいやす希望のシンボルとなるでしょうか。

11月28日　博多行き新幹線にて

　特急「かいじ」で、新宿から甲府に向かっています。今晩は、山梨県民クリスマスでお話をします。テーマは「震災の中のクリスマス」です。震災後、2年目のクリスマスです。時が経つのは早く、震災後の道のりははるか遠くにまで続いています。今年は教会員の二人が各地から天に召され、多くの福島県人も、故郷を離れてじっと息を潜め仮の宿生活に耐えています。明らかに普通の光景でありません。異様な風景は続いています。

12月7日　甲府行き特急「かいじ」にて

　旅の途中で、先日亡くなられた、96歳の男性の顔写真が送られてきました。避難先の老人ホームから体調を崩し、病院に運ばれた兄弟は突然天に旅立たれましたが、何と地上に残されたそのご遺体の表情は笑っておられたようだったと言うのです。私も牧師なので、多くの葬式を執り行ってきました。中には、ほほ笑んでおられるように見える、安らかなお顔もありました。けれども、笑っているように見える表情だったとは。

　そういえば、震災後何度か入居された老人ホームをお尋ねするたびに、私の手を握り離そうとせず、「先生と会うのは、きっと今日が最後だ」と目に涙を浮かべておられました。そして、ほんとうにそこから天に旅立っていかれました。きっと、天でクリスマス

にこの世界に来られたイエスさまか、懐かしい妻と会って笑ったのにちがいないとひらめきました。

かつて、海軍の将校だった彼は第2次世界大戦に敗れ、アル中のようになり、奥様は半端でない苦労をしてきました。ある日貧乏の中、シャツを買ってご主人に差し出すと「こんな金があるなら、酒を買ってこい」と投げつけられたこともあったそうです。けれどもその時、奥様は何とも無体なご主人の前にひざまずき、土下座をして謝ったとのこと。何で謝る必要があるのかと私は思いましたが、その時ご主人の心の中に何かが響き、後に妻と一緒に教会の門をたたき、洗礼を受けるようになったそうです。

その後奥様は亡くなりますが、彼は酒を止め、ヘビースモーカーにも終止符を打って96歳まで長生きし、震災の中、生涯を閉じました。朝毎に、妻の写真に向かって「おはよう」と挨拶をし、散歩に出ては賛美歌を口ずさみ、祈りをささげ、農業に勤しんでいた地上の生活でした。きっとあの瞬間、天に引き上げられて、愛しい妻と再会し、あるいはイエスさまや娘さんとお会いして、ほほ笑んだのではなく、間違いなく笑ったのだと、確信しました。

その時果たして彼は、妻に向かって「遅くなったけれど、今来たよ」と言って、笑ったのでしょうか……。

　　　12月9日　東海道新幹線にて、岐阜からの帰り道

　　　　　　　　　　　　　　　　　　　　　　佐藤　彰

避難生活報告　その60

「パピが死んだ」

山梨県民クリスマスを終え、特急あずさに乗って名古屋に向かっ

ています。外は雪。昨晩は、多くの方々が集まってくださいました。講演が「震災の中のクリスマス」だったせいでしょうか。震災に多くの方が関心を寄せてくださって、感謝です。

　山梨での震災のお話は、2回目です。思えば震災後からこの1年9か月、随分各地を回らせてもらいました。もしかしたら、5年か10年分の出会いがあったかもしれません。

　今、列車は山梨県から長野県に入りました。長野県にも福島から避難して、息を潜め生活している教会員がいます。

　突然、話が我が家の犬にスライドして恐縮ですが、一緒に避難生活をしてきた愛犬が、ここのところ急に体調を崩し、今日は犬猫病院で点滴をしているはずです。震災から1年9か月の長旅は、老犬にとって過酷だったでしょうか。

　教会員も、体調を崩す方が出てきています。ある方は「互いに長生きしましょう」を合言葉に、励まし合っています。目の前に、震災2年目の厳しい冬が待っています。

　外は、相変わらず雪。

　果たして各地に散っている教会員は、大丈夫でしょうか。

　　　　　　　　　12月8日　特急「あずさ」で甲府から塩尻へ

パピが死んだ。

「来年、また一緒に住もう」って言ってたのに。

　震災後、激動続きだった。もしかしたらパピ、「ぼくは見捨てられた」って、思ってた?

　ごめんね、パピ。

震災当日、千葉の娘のアパートで一緒に被災したパピ。

　パピもよほど怖かったと思う。だけど、あそこには赤ちゃんもいたし、パピはもう大人だから「我慢しなさい」って言われて、ほんとうはパピも震えてた？　どんなにか、抱いてほしかった？

　迫り来る老いも感じ、たまらなく不安な日々もあった？　そういえば、訳もなく時々震えてたっけ。お父さんお母さんはいつも余裕がなくて、何が起きているのかパピにはわからなかったと思うけど、パピなりに一生懸命事態を把握しようとしてたんだね。震えが止まらない自分を、ぎりぎりの我慢で抑えてた？

　パピも、よく頑張った。さすが東北にもらわれてきた犬だ。パピは、お父さんの自慢の犬だったよ。もしもあれが、パピとの最後の別れの時になるとわかっていたなら、ずっとパピに寄り添って、パピだけを見つめていた、なんて、今頃言っても遅いよね。

　パピ、お父さんはパピに冷たかった？　震災後は特に？　心の中で、いつもごめんって、言ってたんだ。

　月曜日、出張の帰り道、パピの容体が急変したって病院から電話があって、すぐに飛んで帰りたかった。「何とか間にあいますように」って、必死に祈った。

　ひとり病院におかれ、どんなにか寂しかった？　つらかった？

　病院に着くと、治療台の上のパピは変わり果て、ピクリとも動かず横たわっていた。でも、お父さんとお母さんが迎えに来たのがわかった？　「クン」て鳴いたね。忘れない。あれが、最期の一鳴きだった。

　目もうつろで、ぐったりしてたけど、「あっ、鳴いた」って、驚い

たんだ。あれは、「お父さん、お母さん!」だった?

　ねえパピ、お父さんたちは必ず迎えに来るって、信じてた?

　だからその時まで、必死に命をつないでた?　あの振り絞るような最後のあいさつ、ちゃんと受け取ったから。

　だけどもしかしてあれは、「さよなら」だった?

　もし、「お父さんお母さんに最期に会えて、うれしい。僕は佐藤家にきてしあわせだったよ」だったとしたらうれしいな。だけど震災後の旅路と、パピの最期を振り返ったら、そんなことないか……。

　お医者さんが教えてくれた。パピは何回も痙攣に見舞われながら、よく耐えたって。心臓マッサージと、呼吸器の装着と点滴の中、じっと命をつないでたって。そうまでして待っててくれたの?

　パピが逝ってしまった後、そんなけなげなパピの姿を思って、また泣いたよ。

　今にも消えそうな命を、必死につないで待っててくれたパピは、忠犬だ。

　ところで、パピ。

　お医者さんから「このまま病院で看取りましょうか」って聞かれた時、「連れ帰ります」って父さんが言ったの聞いてた?　家に一緒に帰れるって、喜んだ?　パピは、佐藤家の4番目の子どもだよ。すぐに連れ帰るって、決めてたんだ。

　ほんとうはそして、寝ずの看病をするはずだった。せめてもの

罪滅ぼしに、渾身の看病を。震災後、散々あちらこちらに預け、その分と一生分とを、お詫びさせて欲しかった。いくらでも抱いてあげる、一晩中話かけるって、決めていたのに。二度とパピのそばを離れないよ、パピを最優先するからって。
　それがまさかの帰宅して10分後、お父さんの手の中で、まるで久しぶりの我が家に戻って安堵するかのように、息を引き取るなんて。

　お父さんが鈍感だった。どうしてもっと大切なパピを、繊細に扱わなかったんだ。

　弱り切ったパピの体を、まるでガラス細工でも抱えるように両腕にのせ、「さあ、一緒に帰ろう」って言った時、お父さんは心の中で泣いてたよ。

　パピも泣いてた？

　お父さんやお母さんと一緒に、帰れるから？
大切にしてきた我が家を失い、思い出がいっぱい詰まった故郷を追われ、二度と見慣れた風景を見ることができなくなったことは、どんなにか辛かったかと思う。何の準備もなく、突然旅に出ることになったことも。
　ここまでが、パピの限界だった？

　お父さんやお母さんが悲しそうな顔をしているのを見るのも、辛かった？　旅の途中で飼い主と引き離されてあちらこちらにあ

ずけられたことも？　パピも、震災で寿命を削った？

　被災した犬のストレスは、そうでない犬の何倍もあるって聞いたよ。脱毛したり、少しの音や振動に敏感になるって。

　そういえば、この間会った時、いつになくお父さんに体をすり寄せてきて、顔をそっとお父さんの手の上に乗せたっけ。あれは迫り来る老いの恐怖を感じての、遠慮気味の甘えだった？

　最後に面倒を見てくれた中村さんが、言ってたよ。パピは、小さな宣教師だったって。パピと一緒の散歩がきっかけで、ご近所のいろんな方と知り合い、随分の人が教会に来てくれたって。さすがパピは、牧師の子だ。

　パピが逝ってしまった直後、お父さんとお母さんは話をしたんだ。もしもこれが最後だとしても、「お父さんは、お母さんと結婚して幸せだった」って。お母さんは最初、急にお父さんが妙なこと言いだすから気味悪がっていたけれど、お母さんの方からも、同じこと言ってくれた。別れは、突然くるって、パピの死が教えてくれたから。パピは、小さい犬だったけど、どんな小さな命でも、その存在は限りなく大きいって、スペアーはないんだって、痛いほど教えてくれたから。

　そんな当たり前のこと、昨年の震災でとっくに学んだと思っていたのに。何ほどのことも、勉強していなかった。

　ほんとうのことを言うと、仮にパピが死んでしまうようなことがあっても、ペットロスにならないようにしようって、お母さんと予防線を張ってたんだ。だけど、駄目だった。所詮犬だからとどんなに言い聞かせても、パピはお父さんとお母さんの中で、それ以上の存在だった。

ただでさえ震災で多くのものをロスしているのに、この上パピまで失うことになったら耐えられないって思ってた。

　だから、ねえパピ、お願いだからもう一度戻ってきて。ボクほんとうは生きてるよって、どこかからでもいいから、ひょっこり顔を出して。そしたら、いっぱい撫でてあげる。ワンワン吠えながら、かつての日のように、踊るように飛び跳ねてきて。
　ボクのこと、こんどこそ大事にしてね、って甘えてすり寄ってきて。一緒に、大好きな散歩に行こう。それとも、ドライブがいい? 車の窓から顔を出して、いつものようにきょろきょろと全世界を見回すんだ。お父さんは、ハンドルを握って、サイドミラーをちらちら眺めながら、パピヨン犬自慢の大耳のロングヘアーがしっかりと風にたなびいていることを確認して、さも誇らしげに車を走らせる。「絵になるな」って、ひとりでまた悦に入って。

　パピは、ほんとうにいい犬だった。

　さようなら、パピ。

　ぽっかりと空いた心の穴を、果たして時の流れが埋めてくれるだろうか。パピを失った、色の消えたような世界に、再び色はつくだろうか。

12月13日　パピが死んだ3日後に、
徳島市民クリスマスに向かう道々
佐藤　彰

避難生活報告　その61

「震災の中のクリスマス」

　震災後、2年目のクリスマスを迎えています。

　「悲しみの人で病を知っていた」(イザヤ書53章3節)と聖書が記す神の御子が、悲しみと暗闇が覆うこの世にお生まれくださったクリスマスの出来事に、静かに思いを馳せています。今年は私たちも教会堂がないため、イブ礼拝を行うことができず、クリスマスコンサートだけを結婚式場を借りて開催しました。

　悲しみと言えばクリスマスの25日、私たちが住む町の市役所などの3か所に「被災者帰れ」との落書きがなされたとのニュースが流れ、心痛みました。誰かが黒いスプレーで落書きをしたようです。震災に続く原発事故で、故郷を失くした2万3千人の同郷の人たちが、この町に移り住み、じっと2年目の故郷を見つめています。

　この町は急に人口が増えたせいもあってどのレストランも道も混雑し、アパートは満杯状態で、そのような落書きがあったとしてもおかしくない状況が続いています。ある被災者は、義捐金を手にして、何もしないでぶらぶらしたりパチンコに行っているとの声も聞きます。突然始まったアパート暮らしに、まだ慣れない故郷から散らされた人もいるとも聞きました。近ごろ気がふさぎ、アパートや仮設住宅から出て来なくなった、と心配する声も。

　事態は、深刻さを増しています。もちろん多くの人々は、「家を失って大変ですね」と、やさしいことばをかけてくださいます。

　ただ、ご高齢の方々は加齢の速度が増すとも聞いていますので、互に声を掛け合おうと意識してはいます。外に出ても見慣れた風

景はそこにありません。目が覚めると、「ここはどこだ?」のリセットから始まります。いつも挨拶していたはずの人の顔が、見当たりません。生活の舞台は一変し、物忘れが激しくなったり、外に出る足がすくんでも当然です。

それぞれの心に被災した傷が残り、不安と怒りが渦巻いています。深々と闇が覆い、光が必要です。闇の中に輝く希望が。

やがて建つ教会が、様々な亀裂をつなぐ役割を担えたら嬉しいです。閉ざされた故郷と当地の架け橋となり、日本各地や世界と結ぶ翼となるように願いながら、初めての、イブ礼拝のないクリスマスを迎えています。

ところで先日は、徳島市民クリスマスで四国を訪れた際、賀川豊彦記念館を訪ねました。彼が始めた生協や労働運動、ベストセラー『死線を越えて』をはじめとする300にも及ぶ著書等に、改めて圧倒される思いでした。けれども同時に、大正12年に起こった関東大震災の際に彼が、いち早く被災地に入り、義捐金集めに奔走し、現在の金額で5〜6千万円を現地に送り届けたことも知りました。

また、もうひとつ心ひかれたのは、彼が当時、「病のデパート」と呼ばれていた点です。様々な病気をかかえながら、どうしてあれ程の働きができたのか、と驚きを禁じ得ませんでした。到底ひとりの人間が、一生の間に成せる業ではありません。それほどの病をかかえた人だったから、傷ついた人々の元に駆けつけたのかと、なんだか妙に腑に落ちた気もしたのです。

「悲しみの人で病を知っていた」。イエスの残された足跡とも、そのまま符合するように思われました。クリスマスの寒空の下、救い主がこの世を歩まれた痕跡に、思わぬかたちで触れたような

気がして、心が暖かくなりました。

ところで、そのすぐ隣にはドイツ記念館がありました。せっかくだからと図々しく見学をお願いすると、入って驚きました。そこには、第1次世界大戦で敗戦国となったドイツ兵たちを収容する、俘虜収容所での出来事が記念されていたのです。当時の所長は、なんと福島県出身の松江豊寿。彼は、強い信念で日本政府と渡り合い、ドイツ兵たちを丁重に扱い、敗戦国の軍人ではあっても、祖国のために命を掛けて戦った尊敬すべき人々として、人権を重んじ、自由を最大限に認めました。だからそこが、捕虜を収容する収容所ではなく、俘虜収容所と呼ばれたことも知りました。そこで、ドイツ人たちたちがつくった楽団によって有名な、神をたたえるベートーベンの「交響曲第九番　歓喜の歌」が、アジアで初めて演奏されたことも。

なんだか私は、福島県人であることが誇らしく思えてきました。そういえば「とくしま」の「と」を「ふ」に変えると、「ふくしま」になることにも気づかされました。この話は、数年前松平健さんが主演する映画「バルトの楽園」にもなったそうで、せっかくなので撮影現場にも足をのばしました。

重要な点は、彼が福島県会津地方の出身であるということです。彼は、お国のために命をかけて戦った彼らに敬意を表し、最大限の自由を認めたので、後に何人かのドイツ兵は日本が好きになり帰国せず、そのまま住みついたようです。

その背景とは、やがてNHK大河ドラマで始まる「八重の桜」の舞台、会津戊辰戦争です。そこには、幕末の戦いに敗れ、鶴ヶ城を舞台に壮絶な戦いを繰り広げた後、多くの婦女子や少年兵が自刃し、果てて行った悲哀の歴史がありました。官軍との戦い

に敗れ、敗戦の憂き目に遭い、辛酸をなめた歴史の子として彼は、祖国のために命をかけて戦ったドイツ兵に心からの敬意を表したのです。

事実、ドイツで徴兵されて戦地に送られ、戦いに敗れ日本に捕虜として連れて来られた彼らの多くは、眼鏡職人であったり、パン屋さんであったりと、時代に翻弄され徴兵に遭い軍服を着せられた、私たちと同じ普通の人でした。

色メガネで人を見ない。悲しみの道を歩んだ者こそ、悲しみの中に生きる人々の心がわかるのだと思います。そういえば、新たに任命された復興担当大臣に対して、福島県は「これからは福島県人になり切って、復興に取り組んで欲しい」とその思いを伝えました。

亀裂が随所に入った刻まれた大地と、そこに住む傷ついた人々の心に宿られる主よ。震災の傷が、今なお冷めない被災地にお立ちください。幾層にもわたる暗闇を1枚ずつ剥がし、クリスマスの光で照らし、新年の希望へとつなげてください。

　　　　　12月25日　福島の被災者借り上げアパートにて

　　　　　　　　　　　　　　　　　　　佐藤　彰

2013年1月

避難生活報告　その62

「行けるところまで行ってみましょう」

　震災2年目のクリスマスから、そのまま震災2年目の年末感謝礼拝と新年礼拝を迎えています。工事の遅れから、いつも使っている結婚式場が年末年始休館のため、工事中の翼の教会で礼拝をささげました。壁も全部は張り切れてなくて穴だらけ隙間風が吹く中ですが、ビニールシートを張り、雨漏りを避けながら、大雨の中、12月30日の年末礼拝をささげました。

　ところが、この礼拝が案外味があり、まるで洞窟の暗がりの中でささげる初代教会の礼拝のような気持ちになりました。さすがに寒く私もコートを着たままでしたが、忘れられない礼拝になりました。加えて、ご近所の方も礼拝に参加してくださり、事前に御近所にご挨拶に伺った際には「讃美歌が近所から聞こえるのは、いいことです」と声を掛けていただき、うれしかったです。

　映画「タイタニック」ではないですが、私たちはきっと突然船の沈没に遭い、気がついたら皆ばらばらにある者はいかだにしがみつき、他のものはそのまま漂流し、あれよあれよという間に旅が始まったのだろうと思います。そして今、福島の故郷の南に流れ着き、家や教会を失ったので、新たな巣作りを始めたのだと思います。

　これまで積み上げてきたものすべてが、まるで人生の積み木細工が崩れ散るように、木っ端みじんになる事態から始まって、

いまだ震災は続いています。果たして、いつまで尾を引くのでしょうか。この旅は、まさか一生でしょうか。終期は、いつ来るのでしょうか。年末に入って再び私は、新たな教会員のアパートや土地、中古住宅、それに就職探しを始めています。私は不動産業者ではありませんが、少しは板に着いてきたようです。

軟着陸を試みてここまで導かれたのですから、こうなったら行ける所まで行ってみましょう。やれるところまでやりましょう。

破れかぶれの信仰も、それはそれで1本の道かもしれません。震災は果たして新たな信仰を形創り、壊れた教会は、新しい教会を生みだすでしょうか。

2013年　震災2年目の元旦に

佐藤　彰

避難生活報告　その63

「未完成入堂式、挙行」

昨日、未だ工事中の翼の教会堂で、入堂礼拝を見切り発車で行いました。借りている結婚式場が使えなかったからです。テレビ朝日の3月放映に、間にあわなかったこともあります。

数年に1度の寒波でした。強風も吹きました。嵐の中の教会を象徴しているでしょうか。震災が生んだ教会にふさわしいでしょうか。昔、預言者エリヤが旧約聖書で活躍した頃、大風が吹き荒れ、地震が起こり、稲光が現れました。神はその中にはおられず、その後静かに細き御声をもってねんごろに彼に語られました。エリヤはほとほと疲れ切って、生きるのが嫌になっていたのです。

そういえば、入堂式の最中、地震がありました。終わると大風

が吹き荒れました。稲光はなかったものの、ニュースでは、この日、数年に1度の寒波がきたことが報道されていました。東京から駆けつけた幾人かが、電車が動かず足止めを食ったこと、バスも満席で自家用車に乗りかえて羽田空港に急いだ方がいたことも、知りました。

　大荒れに荒れた中での、未完成の翼の教会入堂式は、そのまま私たちの過去、現在、未来を象徴しているでしょうか。荒れ狂う大自然の中で、感謝と涙の入堂式は進められました。それでも昨年末、ドアもなく、外気すかすかの工事現場の教会堂で、天井から落ちてくる雨水を避けながら、暗い中ほとんど洞窟状態で礼拝したことを思い出せば、耐えられます。私たちは、一連の震災を通し無いものを数えないで、あるものに感謝することを学んだはずです。つぶやけばいつでもどこでもきりがありませんが、それより、天を見上げて前に進むことも学びました。

　だから今回の入堂式は、一連の出来事を象徴する、区切りとしてのセレモニーだったのかもしれません。引き算はよして、足し算で、最後まで行ってみます。震災と原発事故の終期はいつになるのかと、よく聞かれます。わかりませんが、人生そのものが、天を目指す旅路であることを重ねるようになりました。この世界では、すべてが工事中で、途上です。入堂式では、本来は外壁に覆われ足場は外れ、内装もほぼ完成しているはずでしたが、現実は程遠く、望んだセレモニーは手に入りませんでした。けれども、これが混とんとした被災地の現実です。

　当初、7万人が家を失い、この町に2万3000人がたどり着きました。建設ラッシュは尋常でなく、土地も中古住宅も、大工さんたちも確保するのが困難です。教会も御多分にもれず、工期

が遅れ、本来は昨秋完成予定でしたが、昨年末に延期となり、今もまだ建設途上にあります。忍耐します。疑わず、信じていましょう。投げないで、前進することにします。

　献堂式は5月11日土曜日に行うことを決めました。

　1期工事は、完了しているものと想定してのことですが、それより何より、どなたにどうご案内したらよいのか、途方に暮れています。これまで、あまりに多くの国内外の方々のご支援を受け、お名前やご住所のわからない方々も多く、どうかおゆるしください。やがて、ネット上で献堂式のご案内をさせていただくことになるかと思いますが、ご理解、ご容赦ください。

　ともあれ、嵐の中の入堂式は終わりました。テレビ朝日「テレメンタリー」シリーズの30分番組で、放映される予定です。

　その際、取材のためにと、高所作業車を借り、上から翼の教会堂を見降ろしました。もちろんいのちが惜しい私は、万が一にも落ちると怖いので、乗りませんでした。ただ、テレビ局のカメラマンと一緒に、副牧師は乗りました。怖いもの知らずですか。それとも、怖いもの見たさでしょうか。とにかく、尊敬します。

　そしたらどうでしょう。ほんとうに、新会堂は侵入禁止の故郷の方角をしっかり向いて、くっきりと翼の形をしていたと言うのです。まるで、逢ったことのない大熊町の教会に向かって、エールを送るように。今すぐにでも、いつでも兄のもとへと飛び立つかのようにして。当初から、兄を慕う弟のような様相で。紛れもなくこの教会は、故郷の4つのチャペルがあったから生まれた教会で、また4チャペルが突然閉鎖となったので生まれた、教会堂です。

　どれ程に、いまだ逢ったことのない兄貴分としての故郷の教会堂が愛しいでしょう。音もなく、突然誰も門をくぐらなくなった教

会たちも、新たに生まれた弟分で、末っ子のような教会の誕生を、よろこび涙し、逢いたがっていることでしょう。

そういえば、旧約聖書のその昔、兄たちと離れ離れになって、独りエジプトの地に流れ着いた末っ子のヨセフは、13年後に兄たちと再会しました。生き別れとなった後、後に生まれた弟のベニヤミンとの初顔合わせも、ヨセフが30歳になってからでした。その時の様子を、聖書はこう記しています。

「ヨセフは、そばに立っているすべての人の前で、自分を制することができなくなって、……声をあげて泣いたので、エジプト人はそれを聞き、パロの家の者もそれを聞いた。

ヨセフは兄弟たちに言った。『私はヨセフです。父上はお元気ですか。』兄弟たちはヨセフを前にして驚きのあまり、答えることができなかった。

ヨセフは兄弟たちに言った。『どうか私に近寄ってください。』彼らが近寄ると、ヨセフは言った。『私はあなたがたがエジプトに売った弟のヨセフです。

今、私をここに売ったことで心を痛めたり、怒ったりしてはなりません。神はいのちを救うために、あなたがたより先に、私を遣わしてくださったのです』」(創世記45章1〜5節)

空想夢想があまりに過ぎ、擬人化は、ストーリーを作り上げすぎでしょうか。それでも、翼の教会はこの上ない翼の形を呈し、下に降らず、上に昇るべきことを、促しているように見えます。道半ばでも、思った通りに進まなくとも、パーフェクトでなくても、恵みを数えながら1歩ずつ昇り、跳ね返されても、諦めないで越えていくことも…。

せっかく副牧師がいのちがけで、建設中の新会堂をその上空

から確認したのですから、私たちも前向きな神さまの翼に乗って、しっかりと困難を乗り越えていくことにしましょう。もしも疲れてうずくまることがあったとしても、即座に温かな親鳥の翼の下にもぐり込み、上質な羽毛に包まれ安堵することにしましょう。

「主は、ご自分の羽で、あなたをおおわれる。

あなたは、その翼の下に身を避ける。主の真実は、大盾であり、とりでである」(詩篇91篇4節)

「しかし、主を待ち望む者は新しく力を得、鷲のように翼をかって上ることができる。走ってもたゆまず、歩いても疲れない」(イザヤ書40章31節)

2013年2月25日

「悲しくてうれしい、悲うれしい」入堂式翌日に

佐藤　彰

避難生活報告　その64

「怒涛の日々」

　怒涛の日々が、続いています。私は今、昨晩のお茶の水でのお話を終え、帰路についています。約40名の音楽家の方々による、震災支援コンサートでのメッセージでした。そのクラシック音楽会が3日後、完成間近い翼の形をした私たちの教会で、地域の人たちへのお披露目として開かれます。

　波乗りを続けているような気分です。工事は遅れて、半ば工事現場の中でのような結婚式も、4日前に挙行しました。今月は洗礼式も、来月になると再び結婚式もとりおこなわれます。

　きっとすべて、何とかなるでしょう。何がどうなっても、今までも

そうしてここまできたのですから。

　先々をあれやこれや心配し過ぎると、すっかりエネルギーが吸い取られ、気がつけば果てしなく落ち込んでいきそうです。どこかで要らぬ気苦労を天にゆだね、進むことにします。

「あなたがたの思い煩いを、いっさい神にゆだねなさい。神があなたがたのことを心配してくださるからです。……キリストにあるあなたがたすべての者に、平安がありますように」（Ⅰペテロの手紙5章7、14節）

　1歩先も、その先の未来も、その都度その場所に立たれる神さまが、折々に何とかしてくださると信じます。信じないと前に進めないし、心かき乱されて自滅するリスクを避け、平安を大切にして明日に向かうように、聖書は勧めているのですから。

　話は変わりますが、昨日夕方のニュースで、私たちの教会が放映されました。と言っても、私は東京での講演前だったので見てはいないのですが、突然全国ニュースの中で流れることになったとテレビ局から連絡がありました。放映直前まで編集しているとのことでした。どんな番組になるのかと、講演前なのに気もそぞろでしたが、ありがたくも思っています。

　昨年制作していただいた3本の番組も、テレビクルーの方々が涙を流しながら私たちを撮っていってくださいました。報道関係者の、これも寄り添いでしょうか。震災支援でしょうか。今回も、取材する中、涙を流された方もおられたと聞きました。

　結婚式は、確かにストーリーでした。新婦は、このたびの震災で故郷を追われ、隣県に避難しました。震災前は新築の住まいを構え、英語スクールも開催していました。そんな、英語教育に

情熱を注いでいた最中の被災です。英語クラブは、閉鎖となりました。思いを入れて建てた家も失い、どれほどの喪失感だったでしょう。

　それ以前の話をすれば、彼女はかつて、交通事故で大好きなお姉さんを失い、後にはお母様も同じく酔っ払いの運転者による交通事故で亡くされました。そんな暗闇のトンネルをやっと抜け出して、何とかここまで人生を建て直したのに、そんな矢先の震災でした。再び何もかも失い、振り出しに戻ってしまったのです。

　しかし、避難して身を潜めた先で、今回結ばれた新郎と出会いました。彼は彼女との出会いを通して聖書を知り、洗礼に至りました。そして今回の結婚式です。悲しみが消えたはずもありません。けれど、たとえようのない喪失感の中で、それでも明日はあったのです。

　だから私たちも、未来に神の備えがあると信じて、次の1ページを開くことにしましょう。

　ところで取材班は、その2日後にもたれた「3・11祈りの集会」も撮っていかれました。震度7弱の大地震が起こった午後2時46分に合わせて、皆が起立し手をつないで、故郷の方角を向きながら黙祷をささげました。そして、写真や映像を通し、想い出も語り合いながら、震災前のあの懐かしい故郷を思い起こし、震災以降の険しい道のりまでを振り返りました。

　いつ思い返しても、胸が押し潰されそうになり、目の前に抜けるような青空はありません。一面霧が立ち込めているようにさえ思ってしまう日々は、いつまで続くのでしょうか。

　今、電車はJR泉駅構内に着きました。

　サザンカが咲いています。

> そういえば我が家のサザンカも、家主がいない故郷で、今年も静かに咲いたでしょうか。
>
> 3月13日　朝、常磐線にて
>
> 佐藤　彰

避難生活報告　その65

「献堂式を目前に」

　今私は、震災から2年と1か月を経た4月11日の大阪からの帰り道、新幹線です。何とかここまで、たどり着きました。教会堂の工事と並行して、すでに2度の結婚式と2度の納骨記念会が行われました。それから300人をお招きしてのコンサート。竣工を目の前にして、早随分用いられた会堂になったと思います。と過去形で言いたいところですが、1か月後には献堂式が控えています。出席は400名になりそうです。果たしてそれほどの人が、この会堂に入るでしょうか。震災の中で生まれたこのチャペルは、半年分位働いたような気がします。

　いつの日か、「翼の教会」の絵本を出したいとも思い始めました。その前にどうやらまずは、震災の中でいのちを落とした愛犬パピの震災体験物語が、絵本となって出そうです。『流浪の教会』完結編『翼の教会』も、出版準備を始めました。献堂式と並行してやるだけやって、行ける所まで行ってみます。

　震災から、2年2か月を経て迎える献堂式が、とりあえずの一区切り、節目となるでしょうか。

　ブログを打つエネルギーもいよいよ尽きてきたのか、今日はもう4月30日、今私は新幹線で名古屋からの帰り道です。

今月11日に大阪からの帰り道、同じく新幹線内で打ち始めたはずのこのブログも、こんなに短いのにもかかわらずやっとの思いで今頃のアップとは、青息吐息状態もあふれる直前でしょうか。

4月30日　新幹線にて

佐藤　彰

避難生活報告　最終回

「献堂式を終えて」

　献堂式を終えましたというか、駆け抜けました。式の準備に本格的に入ったのは、実は5日前の月曜日です。それこそやってみなければわからない式への、突入でした。が、振り返ると、突如流浪の生活が始まった私たちには、ふさわしかったかもしれません。上限の400名を超える申し込みとなり、慌てて締め切ったものの、さてこの人数で、どのような献堂式が可能かと頭を悩ませていました。案の定2時間バージョンのはずが、1時間超えの、3時間の式となりました。

　この2年間、それだけの内容があったわけだからしょうがない、と言い聞かせてみたり、「このような献堂式は初めてです」と言ってくださる方のおことばにすがり、納得を試みたりと、どっと直後に疲労感に襲われたのは、そのせいでしょうか、ボリュームがあったからでしょうか。とにかく、怒涛の献堂式でした。改めまして、これまでのあたたかい見守りと並走を御礼申し上げます。

　私は司式の間中、この場所に列席しておられない、背後におられる多くのサポーターの皆様を意識しておりました。

1章

　突然ですが、献堂式終了をもって、この震災ダイアリーもひとまず閉じたいと思います。3・11直後、何かにつかれたように打ち始めたブログも、果たしていつまでかと考えておりました。そして献堂式が、その終期にふさわしいと考えました。これまでの2年間、ひたすら必死に打っただけの文章におつきあいくださり、ほんとうにありがたく思います。当初、途方に暮れながら当てもなく投げ始めた文章を、あまりに多くの方が受け止めてくださったことに驚き、打てば響くあたたかなネットワークの中にある幸せを感じました。

　一つ後悔があるとすれば、献堂式で、うっかりこれまで黙々と翻訳し続けてくださった方々をご紹介するのを忘れてしまった点です。震災その日からちょうど2年と2か月目に当たる5月11日土曜日の午後1時半からスタートし、2時46分に参列者全員が起立、黙祷をささげるまでは順調でした。ところがです。肝心の韓国語翻訳をし続けてくださった崔先生をご紹介して感謝を表すことと、ドイツ語に関してはクラウディア姉、フランス語はダニエル先生、英語は横山先生、中国語は台湾の姉妹方、スペイン語はペルーからと、これまでの大変な翻訳をしてくださった方々へのお礼を申し述べることを忘れてしまったのです。

　この場をおかりして、改めてお礼申し上げます。長い間、本当にお世話になりました。

　おかげさまで、この文章はことばの壁を超え、民族をまたぎ、結果雲のように多くの方に知っていただく形で、いつしか多国籍の様相となり、ネットの時代の風にも乗って、どんなにか私たちに励ましを届け、不思議な物語をつづってきたでしょう。険しい震災ロードであった分、ありがたく感じ入ったネット網の温もりでした。

そのインターナショナルな風は、果たして海の向こうから吹いてきたのでしょうか。それとも、天からだったのでしょうか。ほとんど詩を打つように、震災にもまれながら書きつづった癖のある私のことばを、忍耐をもって、労苦を惜しまず、もしかしたら使命感からでしょうか、言語を変換し続けてくださいました。

　もう1度これまで翻訳に携わってくださった方々、そして、それを熱い心をもって受け止めてくださった皆様、心からお礼申し上げます。当初、孤独を嚙みしめていた私たちにとって、どれほどの支援となったでしょう。

　ともに涙し、笑ってくださる皆様方と、ずっと並走していたんだと、今頃気づきました。何を孤独だなどと勘違いしていたのでしょう。私たちはずっと多くの証人に囲まれ、見守られながら、震災ロードを歩んでいたのでした。ひとりぼっちどころか、神さまは片ときも離れることなく、私たちを見守っておられました。

　ドラマがクライマックスに近づくにつれ、当初の謎が解けるように、この2年にわたる不思議な旅のキャスティングは、やはり神さまだったのだと悟りました。知ってか知らずか、私も含めて皆さんも、もしかしたら舞台の上にいつしか乗せられ、それぞれの役回りを担っていたでしょうか。

　けれども神さま、もう降りてもいいですか。この震災ロードの終期はいつですか。まさか、本当の旅はこれからなどとはおっしゃらないでしょうね。1度は何とかやりましたが、2度はあり得ませんから。

　そういえば、震災に遭遇する1年半前、「苦労して終えた会堂建設は、今回で終わりにする」と自ら言い聞かせたはずでした。なのに、どうでしょう。どれほど苦労して新会堂を建てたかを知っ

ておられるあなたは、その直後にまさかの故郷の喪失、そして震災後2年を経ての再度のチャペル建設へと私たちを促されました。

えっ？
2度あることは3度ある？

まさか。
もう、十分です。
やるだけ、やりました。
とにかく、私はもうそろそろ、降ります。

この後、皆さんも神さまも、もし仮に私がどこかに引きこもったとしても、もしかして万が一、何を思ってか、行方をくらますようなことがあったとしても、どうか大目に見て気にしないでください。
まして探したり、追いかけたりしないでください。
後生だから、お願いします。

なんて、もちろん冗談です。
どうか、皆様お元気で。
そして神さま、感謝します。
　　　　　　2013年5月13日　献堂式翌々日、浜松行新幹線にて
　　　　　　　　　　　　　　　　　　　　　　　　佐藤　彰

＊1週間前に書いたこのブログ、成田空港まで持ち込んでしまいました。今日は5月21日カナダに発ちます。

2章

説教
Message

被災牧師からあなたへ

＊佐藤彰牧師が語ったメッセージを編集したものです

| 2012年 | 場所 ▶ 福島第一聖書バプテスト教会泉のチャペル（福島県・いわき市）
| 12/30 |

大きなあわれみの中で
（年末感謝礼拝・建設中のチャペルでの礼拝）

旧約聖書哀歌3章22 － 26節

　　22 私たちが滅びうせなかったのは、主の恵みによる。主のあわれみは尽きないからだ。23 それは朝ごとに新しい。「あなたの真実は力強い。24 主こそ、私の受ける分です」と私のたましいは言う。それゆえ、私は主を待ち望む。25 主はいつくしみ深い。主を待ち望む者、主を求めるたましいに。26 主の救いを黙って待つのは良い。

　今日は雨が降っていますが、涙雨ではないと思います。私は去年、このいわき市に、教会堂にふさわしい建物がないかと東京から土地を探しに来ましたが、土地もなく、教会員の住めるアパートもなく、間借りできるような教会もなく、あの時の雨は本当に涙雨でした。私たちの心はずぶ濡れでした。今日はここまで教会堂が建ったので、ありがたいなあと思っています。

　皆さん、この1年間は悲しいこと、うれしいこと、ごちゃまぜではなかったですか？　多くの人は「被災者は帰れ」と市役所など3か所に落書きがあったという新聞を読んで、とても心を痛められたと思います。悲しいこともありますが、うれしいこともあります。

　今日、近隣のお宅を回ってきました。「教会が建ち、賛美歌を歌って、うるさかったらすみません」と言ったら、「いやあ、きれいな歌声聞くの楽しみです」と言われたので、「あれ、みんな上手だったっけか」

とちょっと不安になりました（笑）。そして、「教会が建つのを楽しみに見ています。今日、行きたいと思っていたんです」と、おっしゃっていただいて、本当にうれしいと思いました。悲しいことと、うれしいことがごちゃまぜなのが人生の道のりです。

今日開いた聖書の箇所は哀歌と言いまして、「哀しみの歌」と書きます。なぜ喜びの歌ではないのでしょうか。

今日私たちは、建設中の教会堂での礼拝です。

私はシリアと国境に近いトルコの新約聖書に登場するアンテオケというところに行ったことがあります。そこにかつてあった教会は、世界で最初に宣教師を遣わした教会なのですが、洞窟の中の礼拝堂でした。少し私たちの今日と似ているような気がします。後ろには非常口があって、もしもローマ軍に襲われたら逃げられるようになっていました。おそらくろうそくをともして、礼拝をしていたのでしょう。この教会堂は洞穴ではありませんが、何だか初代の教会のような雰囲気です。このような工事中の礼拝堂で、雨漏りがする中コートを着て礼拝することは滅多にないので、これもまた、いい経験だと思います。

ところで、なぜ「哀歌」と言うのでしょうか。今から約2000年前にイエス・キリストが生まれました。そのさらに600年ほど前、BC586年に、国（ユダ王国）が滅んだのです。外国から攻め込まれ、神殿と言われた礼拝所は壊され、強制的に移民させられました。

皆さんの中にも家に帰れない方が結構いらっしゃいますね。私たちは故郷を無くしました。一体何年先、故郷の教会堂に帰れるのでしょうか。7年と言う人もあり、70年と言う人もいます。

帰れない、だから悲しいんですね。似ています。

今日は、聖書の時代の悲しい歌をかみしめましょう。

「私たちが滅びうせなかったのは、主の恵みによる。主のあわれみは尽きないから」と、22節にあります。

皆さん、私たちも、滅びなかったでしょう？　この「滅び失せなかった」の意味は、「終わっていない、死んでない、生きている」です。

こうして私たちも、震災2年目を生きています。生きているから悲しいのです。転んで痛いのも、生きていのちがある証拠です。繰り返しますが、私たちはまだ終わっていません。そして、希望があります。

今から約2600年前、聖書の舞台はバビロンという国に攻められて、故郷が破壊されてしまった。これを現代に置き換えると、故郷やチャペルを失った私たちと似ているでしょうか。しかし、彼らは滅んではいなかった。ちゃんと生きていたのです。

生きていればこそです。そして、どうなったか。彼らは約70年後に、故郷に戻ります。70年は長いですが、神殿を建て直し、見事に復興したのです。時間はかかりましたが、生きてこそでした。

福島は何度も壊れ、復興した県です。来年1月6日から始まるNHK大河ドラマの主人公は新島襄の妻、山本八重です。会津を舞台にした戊辰戦争の生き残りの彼女は、鉄砲撃ちの名人でした。後に襄と結ばれ、京都で初めてのキリスト教の結婚式を挙げ、クリスチャンホームを築きます。新島は、御法度を犯して江戸末期にアメリカに渡った日本人です。

会津の鶴ヶ城は砲弾で穴だらけとなり、みな、身も心もずたずたに傷つきましたが、八重はその後京都で襄と結ばれ後の同志社大学を設立し、人生の第2幕がスタートしました。生きていれば、次なる物語が到来します。

2600年前のイスラエルも、故郷が一度はなくなりましたが、やが

て神殿を再建し復活しました。私たちも今は、故郷を離れていますが、別の場所に新たな教会堂を建設中です。そしてきっと来年は、また新たな物語が到来するに違いありません。

しかし、生き残ったと言っても、ある人は家もない、仕事もない、何のために生き延びたのだろうと悶々としたり、1年10か月もの歳月が流れ、疲労や悲しみが限界に達していると感じています。来年を生きる力があるでしょうかと問いたくもなるでしょう。しかし、この点について、聖書は「大丈夫」、なぜ？「主の恵みによって」「主のあわれみは尽きないから」と語ります。

いわき市は震災後、ある場所では温泉が湧き、逆に、あるところでは温泉が枯れたと聞きました。なぜだか分かりません。ただ、あるところは尽きないで、あるところは枯れたのです。

皆さん、神様の恵みといつくしみによって、今日私たちは生きています。生かされて、だから生きています。そして、生かされた限りみんな使命があります。実は神様の「恵み」も「いつくしみ」も「あわれみ」も、全部同じことばです。どの表現でもいい、大事な点は、それが無尽蔵だということです。

私は最近、ホテルなどの朝食のバイキングが楽しみではなくなってきました。持ってきてもらったほうが面倒がなくていいと思う年齢になったようです。ところであるバイキングでは、1度皿が空っぽになると、なかなか次が出てきません。するとどうでしょう。行列です。同じお金を払ったのに、食べられないかもしれないと思って。しかしあるホテルでは、皿になくなるとすぐに同じものが出てきます。だからみんな、それを確認して、安心してゆったりと食事をします。

皆さん、神様の恵みは、昨日まであったが、今日は枯れるというようなものではありません。来年はまた、新たな恵みが無尽蔵にやっ

て来るのです。

23節は、「それは朝ごとに新しい。『あなたの真実は力強い。』」です。

新鮮に、まるでカレンダーでもめくるように、カーテンを開け朝日をとり入れるかのような、神さまの恵みとの出会いです。

皆さんは先週、どんな恵みに出合ったでしょう。ある牧師は、「ピンチのあとにチャンスが来る」と口癖のように言います。私の場合はこうです。「悪いことがあったら、次はいいことが来る」。神さまの恵みは、日ごとです。けれど悪いことにばかり目を留めることが癖になると、仮に恵みに出合っても、恵みを恵みとして数えられなくなってしまいます。恵みに目をとめ数えれば、きっと明日が見えてくるはずです。

先週私は、教会コンサートで久しぶりの方にお会いしました。新聞社も来会し、記事にしてくださいました。水曜日の集まりにもなつかしい方が来てくださり、うれしかったです。これで少なくとも、3つの恵みを確認しました。

神さまの恵みは、あふれています。新年を迎えるということは、来年また新しい祝福に出合うということです。来年は、来年の恵みがあります。

23節の「あなたの真実は力強い」は、私たちはちっぽけな存在で力がなくても、神様はいつも力強く偉大だという意味です。そして、その神が私たちを支え続けてくださるのです。その真実なお方に向かって、賛美をささげたいです。

24節を見ましょう。「『主こそ、私の受ける分です』と私のたましいは言う。それゆえ、私は主を待ち望む」。皆さん、私たちの中には、家を失くしたという人もいます。職場が閉鎖になったという人も。大好きな洋服が水浸しになった人もいるでしょう。私の場合は、大

切なペットが死にました。

聖書の時代の人々も、故郷をなくし、家が焼かれ、礼拝する場所も壊されて、どうしてこんな目に遭わなければならないのかと、言いたくもなったでしょうが、もしかしたらそこから、別の新たな世界を垣間見たかもしれません。物ではなくて、生ける主が、この方こそが、最も必要とすべきお方だということに、目覚める世界です。物を失い、物ではない神との出会いを体験する。

私たちも、そういう意味では良い経験をしたと言えるかもしれません。この1年、2年を通し、見える物に頼むのでなく、見えない神さまこそ、私の受ける相続分ですとの告白に至ったとすれば。

先週、孫たちがやってきました。男の子で、やんちゃです。せっかくいわきに来たんだからと、スパリゾートハワイアンズに連れて行きました。下の子は2歳です。いきなりの疑似ハワイの巨大施設で、皆水着を着て裸だし、流れるプールで、浮き輪につかまってはみたものの、余程驚いたのでしょう。完全に、固まっていました。ニコリともしません。しかし、お母さんが脇に寄り添っているのを確認して、じっと見つめて、安心したようです。

その時、1歳何か月とおぼしきこういう赤ちゃんが迷子になっている、と館内放送が流れました。春休みで混んでいましたし、どんなにか不安だったでしょう。

皆さん、父なる神は、私たちを子どもとして見つめています。視線を感じても感じなくても、親は必死に追い駆けています。きっと館内で迷子になった子どもも、「チョコレートあげるからがまんして」と言われても、そんな物いらない、ママがいいと泣きじゃくったことでしょう。

私たちも、同じです。震災で多くのものを失いましたが、ほんと

うに大切なのは物ではなく父なる神だと知りました。やがて地上の旅路を終えるとき、私たちは蓄えたものも肩書きも、身に付けたすべてのものを置いて、ただイエス様におすがりして、たったひとりで天の故郷を目指します。そしてその日は、突然やってきます。そのデモンストレーションとも言える、震災２年目の問いかけに、本当に大切なのは物ではなく、主でしたと告白したのであれば、意味のある２年間の旅路だったと言えましょう。

最後に悲しい報告をします。あんなに３日間、孫たちと向き合い、全力で遊び、精も根も尽き果てたにもかかわらず、いざ帰る日の朝、「帰りたくない」とはいっさい言わず、あっさりと「じゃあね」と肩すかしをくらわせる形で去って行きました（笑）。やっぱり、お母さんと一緒の世界が、いちばんのようです。

信仰も、その様です。複雑に考えずに、父なる神に信頼しましょう。子どもは自分ひとりでは生きられないことを知っています。自分には、何より親が必要なことも。ひるがえって私たちは、自分の力で道を切り開くのだと、力み過ぎていたかもしれません。

年の瀬に、悲しみの歌である哀歌を通し、神さまの恵みをどれほど受けてきたのかを、もう一度確認しましょう。そして来る年も、その神さまがともにおられるから、何があっても無くても大丈夫だということも。

今日は完成目前の翼の教会で、今日しかささげることのできない、感慨深い礼拝をささげることができました。１年を振り返り、神さまの恵みだったと思うことを、思い起こし数えましょう。心が温かくなったら、来年に向かって、神さまの恵みにより頼んで立ち上がりましょう。神さまは、来年も素晴らしいことをしてくださいます。心細くても、子どもが親を見つめるように、天を見上げ、涙を拭いて神

さまに信頼しましょう。

　恵み深い天のお父様。感謝します。今日まで守られ、生かされました。そして、新しい年に向かって進みます。来る年も、よろしくお願いします。イエスさまのお名前で祈ります。アーメン。

場所▶ 福島第一聖書バプテスト教会泉のチャペル（福島県・いわき市）

2013年 2/24

悲しくて、うれしい日
（入堂礼拝）

旧約聖書エズラ記 3 章 10 － 13 節

　　10 建築師たちが主の神殿の礎を据えたとき、イスラエルの王ダビデの規定によって主を賛美するために、祭服を着た祭司たちはラッパを持ち、アサフの子らのレビ人たちはシンバルを持って出て来た。11 そして、彼らは主を賛美し、感謝しながら、互いに、「主はいつくしみ深い。その恵みはとこしえまでもイスラエルに」と歌い合った。こうして、主の宮の礎が据えられたので、民はみな、主を賛美して大声で喜び叫んだ。12 しかし、祭司、レビ人、一族のかしらたちのうち、最初の宮を見たことのある多くの老人たちは、彼らの目の前でこの宮の基が据えられたとき、大声をあげて泣いた。一方、ほかの多くの人々は喜びにあふれて声を張り上げた。13 そのため、だれも喜びの叫び声と民の泣き声とを区別することができなかった。民が大声をあげて喜び叫んだので、その声は遠い所まで聞こえた。

　恵み深い天の父よ。教会堂建設工事は途中ですが、私たちの人生も路の途中で、工事中です。けれどその折々に天を仰ぎ、神さまをほめたたえることができるので、感謝します。喜びも悲しみもありのまま、そのまま受け止め、どの道にもあなたがおられることを告白します。

　かつてヨブがすべてを失った後に、2 倍の祝福を受けたように、

私たちも悲しみを抱きながらも、新たな旅立ちができますようにお導きください。この教会堂を、新たな回復と復興のシンボルとしてお用いください。涙を喜びの歌声に変えてくださる主を賛美します。イエスさまのお名前によって祈ります。アーメン。

　この教会堂の特徴の一つは翼の形をした大屋根にあります。方角は、入れない故郷を向き、今にも飛び立つかのようです。私たちは故郷を忘れないし、その先にある天の故郷も忘れません。その大屋根の右ウイングと左ウイングには、やがて大きな太陽光パネルが乗ります。

　昨日、副牧師たちが高所作業車に乗り、大屋根を上から見下ろしました。すると、本当に翼の形をしていたそうです。「彰先生、乗りますか」と言われた私は、万が一落ちるかもしれないと思い、迷わず断りました（笑）。しかし、写真を見ると、本当に羽を広げた翼の様な姿です。ぜひ、この翼の教会が用いられ、羽ばたくように祈りしましょう。

　ところで、歴史は繰り返します。震災を振り返って「笑っちゃう」とある方が言いました。「何の心の準備もないまま、突然に故郷と我が家を追われるとは、聞いたことがない。ご近所の方も、どこに行ったかわからないし、誰がどこで、生きているのかどうなのかもわからないなんて、こんなことあり？」と。だから笑うしかない、のだと。

　ところがそこから始まる、ひょうたんから駒物語が生まれました。神さまのマジックでしょうか。2年後、故郷の南60キロに戻ってきて、教会を再開し、翼の形をした教会堂を建てるようになろうとは、これもまた信じられないストーリーです。いったいこれは、どなたの台本だったのでしょう？　どんな映画よりも映画のような気もしまし

た。どのドラマよりのドラマのようにも思えました。不思議な2年間の旅を終え、私たちは今日翼の教会で入堂礼拝をとり行おうとしています。これは夢ではなく、現実です。

さて、先ほど話ましたが、歴史は繰り返します。実は聖書の時代にも、私たちと似たようなことがあったのです。

今からさかのぼること約2600年前、旧約聖書の時代に、エズラという祭司がいました。その時代は、イスラエル人たちは故郷から遠く離れ、無理矢理強制移民させられ、外国での生活を余儀なくされる苦しくて、悲しい時代でした。けれども、日が沈んだらやがて昇るように、70年程の歳月を経て、人々は少しずつ故郷に戻り始めたのです。

巣がなくなったら巣作りするのは当然です。私たちも教会が消えたので、教会建設に取りかかりました。ただ旧約聖書の時代は、教会のような神を礼拝する所は、神殿でした。彼らは、壊れた神殿の再建に着手したのです。

さて、神殿の基礎工事が終わり、定礎式を迎え、現場に集まった人々は笑い、そして泣いていました。

今日私たちもそうでしょうか。泣くでしょうか、それとも、笑うでしょうか。当時は楽器があり、建築家もいました。今日この礼拝堂にも、建築会社の方もおられ、キーボードもあります。歴史はところを変えて再現するのでしょうか。私たちは、かつて起こった聖書の出来事の、後追いをしているのでしょうか。

それでは、聖書の当時の建築記録に目をとめましょう。

「建築師たちが主の神殿の礎を据えたとき、イスラエルの王ダビデの規定によって主を賛美するために、祭服を着た祭司たちはラッパを持ち、アサフの子らのレビ人たちはシンバルを持って出て来た」

(エズラ記3章10節)とあります。

　基礎工事を終え、賛美がこだましました。

　「そして、彼らは主を賛美し、感謝しながら、互いに、『主はいつくしみ深い。その恵みはとこしえまでもイスラエルに』と歌い合った。こうして、主の宮の礎が据えられたので、民はみな、主を賛美して大声で喜び叫んだ」(11節)

　大声で歌いました。ここまで導かれた神に向かって、万感の思いで、賛美したのです。一度失った神殿が、今再興しようとしています。自分たちががんばったからでなく、神さまがこれほどのことをしてくれたから。だから彼らは歴史の主であられる方を、ほめたたえました。シンバルやラッパの音と共に。

　ひるがえって私たちも、これまでどれほど神さまの慈しみを受けてきたことでしょう。新潟に逃れたある方は、市長さんの出迎えを受け、パジャマから何から新品を用意され、「何枚でも持って行ってください。新潟もかつて震災に遭い、多くの人々に助けられました。今、恩返しをする機会が来たのです」それを聞いて福島の方は、涙したそうです。みなさん、涙と喜びはまぜこぜです。

　ところでこの教会の翼は、聖書をモチーフに、ふたつの意味が込められています。ひとつは、お母さんのような温もりです。震災で傷ついた者たちをそっと包み、いやし、迎え入れる「主の御翼の陰」を表現しています。

　詩篇91篇4節にはこう記されています。「主は、ご自分の羽で、あなたをおおわれる。あなたは、その翼の下に身を避ける。主の真実は、大盾であり、とりでである」

　私たちは、大きく温かな父なる神さまの純毛の羽の下で、憩い、安らぎ、回復しましょう。そこで元気をいただいて、新たな巣立ち

を始めるのです。

　これまで私たちは、多くの涙も流してきました。明日がわからず、傷ついた羽を、神さまにおおっていただきました。もうすでに私たちは、神さまの御翼の陰で、養われてきたのです。イエスさまの招きのおことばを、思い起こしましょう。「すべて、疲れた人、重荷を負っている人は、わたしのところに来なさい。わたしがあなたがたを休ませてあげます」（マタイの福音書11章28節）

　私たちは傷ついて、慈しみを受けたのですから、いつの日かきっと他の人々にお返しする者となりましょう。独り占めしないで、あの新潟県の市長さんがされたように、いつの日かきっと。

　ところで先週は久しぶりに、1年お世話になった東京のキャンプ場を訪ねました。そこで再び、お皿をいただいて帰ってきました。いつまでも、ありがたい話です。

　昨日は、新潟県のあるご婦人からお電話あり、前に約束したオルガンを予定通り搬送します、とのご連絡でした。1回しかお会いしていないのに、退職金で購入した大切なオルガンを、私たちの教会に寄贈してくださいます。

　更に今日は、キリスト教団体の方が、椅子搬入のお手伝いに来てくださり、また仙台から駆けつけてくださった方は「いいニュースです。この教会への支援が、ある団体から来ることが決まりました」との知らせを届けてくれました。私たちはいったい、どれだけの慈しみに囲まれているのでしょう。

　先日、映画「レ・ミゼラブル」を観てきました。私はミュージカルが苦手ですが、長い映画にも関わらず、眠ることなく、途中では泣きそうになり、最後まで観切りました。

　これは小説を映画化した内容です。フランス革命後、極貧の中あ

る主人公が、妹の子どものためにパンを1個盗んでしまい、刑務所に入れられたところから始まります。たかがパン一個のために、一生を刑務所暮らしかと思われましたが、ある日仮釈放の身となり職を探すものの見つからず、やがて食べ物に困り、ある教会に転がり込みます。そこで、言わば一宿一飯の恩義に与ったにもかかわらず、彼は教会の金品を盗み出し、逃走をはかって捕まります。ところが、警察に捕らえられた彼の前で神父は「いいえ、これもあれも彼にあげたのです」と証言します。

その体験が、彼の人生を大きく変えます。回心を経験した彼は、新たな道を歩み始めます。神の愛に出合ったでしょうか。その後彼は市長にのぼりつめ、暗闇の時代に大きな光に導かれながら、病める人や弱い者に手を差し伸べる道を歩みます。更には、かつての自分を知り執拗に追いつめる刑事に報復する機会があっても手を出さず、それどころかゆるし、大きな愛で接します。かつての自分がそうされたように。

私たちは別に、映画や小説になるわけではありません。けれど私たちも同じように、神さまの圧倒的な愛に出会い、ここまで導かれたことは間違いありません。

大震災の荒波にもまれ、神の愛は突如私たちを包みました。なので私たちも今日、心からの賛美を、神さまに向かってささげましょう。

次に進みます。12節。

「しかし、祭司、レビ人、一族のかしらたちのうち、最初の宮を見たことのある多くの老人たちは、彼らの目の前でこの宮の基が据えられたとき、大声をあげて泣いた。一方、ほかの多くの人々は喜びにあふれて声を張り上げた」

皆さん、当時年齢を重ねた方のうちの何人かは泣いたようです。

かつて、自分たちの礼拝場である神殿が記憶に残っていたからです。ところがそれは、破壊されました。さかのぼってまだ、70年程前の出来事です。まだ記憶に新しい幻の神殿が、今目の前で建ち上がろうとしているのです。どうして、泣かずにいられましょう。

私たちも、震災の年、教会員が津波に流される悲しい経験をしました。震災2年目の昨年も、ふたりの教会員が避難先で天に召されました。震災後も続く、過酷で厳しい震災ロードです。

ところで、その内のひとりは96歳で、家を追われ、2度と自宅に戻ることなく、他県の老人ホームで召されました。けれども、今頃きっと彼は、天で悲しみの涙を流しているのでなく「みなさん、すばらしいじゃないですか、またひとつ教会ができましたね」と目を細めて笑い、あるいはうっすらと涙も浮かべているかもしれません。天でも地でも、聖書の時代と同じように、涙と笑いは混ぜこぜです。

それでは、もうひとりの昨年召された90代の婦人は、どうでしょう。震災後東京に避難し、そこから天に旅立たれました。しかし彼女も、きっと天から私たちを見つめ、語りかけておられるのではないでしょうか。「みなさん、またひとつ、教会が生まれたんですね。混乱の中、いわきに。神さまは、ほんとうに不思議なことをなさる方ですね」と。その方は津波に遭った小高チャペルを守るかのように、お歳を召され体調を崩しても、教会のそば近くで、長い間おひとりで生活してこられました。まるで、聖書に出てくる会堂管理者か、やもめになっても神殿で祈りをささげ続けたアンナという女性のように（ルカの福音書2章36〜37節）。ですから彼女もきっと今日、天で私たちと涙と喜びを共有しているのではないかと思うのです。今日は悲しくて、そしてうれしい、悲うれしい物語の日です。

私は昨年の、震災からちょうど1年が経った3月11日に、かつて

私たちの教会堂をいくつも設計してくださった方からお電話をいただきました。その方は電話口の向こうで、こう話されました。「先生、震災が起こった時から今までの道のりを、よくがんばりましたね」と言って、涙してくださいました。新築の教会堂を後にし、手に何もなく、ただひたすら逃げ歩き、礼拝や洗礼式、葬式を繰り返しながらも、アパートや新会堂を建てるのは、どんなに大変だったでしょう、と。

私たちは今日、泣く予定はありませんが、先ほどちらっと副牧師を見たら、少しうるうるしているような気配で、何だか私もあやしくなりました。

けれど今はメッセージの最中ですから、気を取り直し、再び聖書に戻りましょう。とにかく、かつての神殿を思い起こした人々は泣き、そして笑いました。何だか、私たちの過去・現在・未来を見るようです。

13節。

「そのため、だれも喜びの叫び声と民の泣き声とを区別することができなかった。民が大声をあげて喜び叫んだので、その声は遠い所まで聞こえた」。泣いているのか笑っているのか判別できない状態が描かれています。

実は、もう一つ似ている点があります。この15年後くらいに、工事が一時中断した点です。人生は、思いがけないことが起こるものです。当時は妨害やら、強迫やらでしたが、私たちの場合は今、被災地特有の尋常でない資材高騰や半端ではない人手不足に直面しています。

昨日も、教会の近くをチラシを手にあいさつまわりをしたら、あるお店の方から「工事は遅れませんか」と聞かれました。あるお店は1月オープンの予定が、工事が遅れて遂に間に合わなかったというのです。

2013年 2/24

けれどもやがてこのチャペルが完成したあかつきには、玄関横に御影石で定礎板が埋め込まれます。そこには「東日本大震災によって生まれた翼の教会」と刻まれます。混乱の中、それでも建ったのだと。

とは言ってもこの翼の教会は、来月には完成するはずです。イスラエルの神殿も、長い間建設工事が中断しましたが、最後には完成しました。彼らはその後、再び立ち上がって工事を再開し、紆余曲折があってもよくがんばって、遂に成し遂げたのです。七転八起し、何度もはい上がり、混乱の中、不思議な物語は完成しました。

私たちも過去を思うと、涙が出てきます。今日を見つめれば笑いもあるでしょう。生きている限り、私たちの道のりはずっとこのようです。目の前には、いつも困難があり、もしかしたら山積でも、泣き笑いしながら、それでも神さまに歌い、このお方とともにどこまでも歩んで行くのです。

次に、翼が表す、もうひとつの意味を確認しましょう。

「しかし、主を待ち望む者は新しく力を得、鷲のように翼をかって上ることができる。走ってもたゆまず、歩いても疲れない」(イザヤ書40章31節)

親鳥の翼の陰に入り込んで、温もりの中憩いを得るひな鳥の姿については、すでに学びました。そしてもうひとつが、力強く翼をかって飛び立っていく、回復後の鷲のような姿です。未来に向かって、幾多の困難を乗り越えながら、大空高く舞い上がっていくのです。

越えられない試練はないと、聖書は記しています。

「あなたがたの会った試練はみな人の知らないものではありません。神は真実な方ですから、あなたがたを、耐えられないほどの試練に会わせることはなさいません。むしろ、耐えられるように、試

練とともに脱出の道も備えてくださいます」（Ⅰコリント人への手紙 10 章 13 節）

　私たちのこの後の道のりにも、幾多の困難が待っているでしょう。けれども、このお方がおられるから大丈夫です。必ずその都度復活し、乗り越えましょう。耐えられないと初めから決めつけてかかると、ほんとうに耐えられません。なぜなら自分は耐えられないと、告白してしまっているからです。けれど私たちは、聖書のおことばをにぎり、耐えられる、との告白から始めるのです。

　脱出口はその都度、あります。ただ見いだすまで、苦しいのです。けれどあきらめず、粘り腰でいきましょう。神さまは私たちが右往左往する間にも、私たちに御声をかけ、走り寄って抱き、エールを送ってくださいます。状況に負けないで、へこたれず、しなるけれども折れそうで折れない、柳の木の様に。

　私たちは今回の震災で、経験しました。明日はないと思ってもあることを。お金がなくても、生きることができる。教会堂建設の資金の見通しが立たなくても、前進するとき何とかなってきたことも。だからいつの日か誰かがうずくまっていたなら、声をかけましょう。東日本大震災の時は、私たちもほんとうにつらかったけれども、何とかなりました。だからあなたも、きっと大丈夫だと思います、と。私たちの現在の苦しい経験は、いつかの誰かのためかもしれません。

　なので私たちは、これからもチャレンジすることを恐れないようにしましょう。生かされたのは、新たな未来に向かうため、困難があっても、チャレンジして前進するためです。

　私はいつの日からか、福島県に生きる人は、この復活の DNA をいただいているように思い始めました。福島という地名は、もともとキリシタン大名であった蒲生氏郷（がもううじさと）がつけたと言われています。そう

いえば会津の鶴ヶ城はかつて7層の屋根で、7は聖書の完全数からとったといわれています。氏郷の時代は黒塗りのお城だったようですが、後の戊辰戦争でめちゃくちゃに破壊されてしまいました。敗戦の後、会津の人々は辛酸をなめ、強制移民もさせられる、悲しい物語がつづられます。

けれどもその後そこから、多くの人物が輩出し、涙の物語は次なる新たな国作りのステージへと展開します。そして今、当時の苦しい歴史のひとこまが、NHKの大河ドラマ「八重の桜」となって、全国で放映されようとは。八重の兄の山本覚馬も、八重自身も、そしてその母も、ドラマでこの後クリスチャンになっていくはずです。涙の後で、多くの人は聖書と出合い、新たな世界を創造していくのです。

私たちが今、もがき苦しんでいるのも、うずくまったまま沈んでいくためではありません。よみがえって、新しく生きるためです。福島に生を得た私たちは、死とよみがえりの遺伝子を、受け継いでいるのです。

私は今週、かつて故郷にあったある会社のキリスト教式起工式の司式をします。先日その会社の社員のある方から、震災直後の会社復興物語をお伺いして感動しました。その方は震災直後、会社の残務整理をしながら、これで職場も消え、終わるのだとうなだれていたそうです。ところがほどなく、会長はじめ社長たちが山形県に避難して集結し、操業再開を模索して1か月後に決断。以後、迅速に社屋を確保、次に全国に散った従業員に安否確認をし、操業再開を宣言。従業員家族のアパートを用意し呼び戻したとのこと。会社はみるみるうちに復興し、まるで映画を見ている様だった、と。電光石火のような、スピードと決断の復活劇です。そして今回、新たな工場を建設することとなり、その起工式をキリスト教式でということ

でした。何とその新築工場の大きさは、故郷に置いてきた工場と同じということでした。ハレルヤ。

私はこの話を聞いて、大いに励まされ、力を得ました。そして私たちには、復活の道のりが定められているのだと確信したのです。

話は変わりますが、今話題のノートルダム清心学園理事長の渡辺和子シスターのお話は、よく新聞などで取り上げられます。「修道院にも、意地悪な人がいないわけじゃない。だけどだからと言って、意地悪に意地悪で返したら、それだけの人生で終わってしまう。誰ももっと意地悪な人間になれるけれど、人生は、そのようなことのためにあるのではない」と。

ある方は、悩んでいる人にこう語りかけます。問題に直面した時、悩むのでなく、そこからどうしたらいいのかを考えるのだ。悩んで問題は解決しない。ならば悩むのでなく、次にどう行動するかを考えるのだ、と。

私は震災以降、よく自分自身にこう言い聞かせます。前向き以外は意味がない、と。何度もお話ししていることですが、私は震災のその日が誕生日です。あの日私は千葉県にいて、ただ右往左往するばかりでした。けれどもこれからどうしようと狼狽する中、まずとにかく福島に行こうと、決断しました。弱っている教会員を迎えに行こうと。その後のことは、その後決めると。

そう決断して、車のエンジンをかけたのは、原発が最大水素爆発した3月15日の午前零時でした。暗闇の中、暗中模索でした。支援物資を積んだトラックと一緒に、妻とふたり車を運転し、一路福島へと向かいました。途中、道路は地割れ陥没し、文字通りお先は真っ暗でした。けれどもあれが、今思い返しても震災の中一歩踏み出した、震災ロード1丁目1番地だったように思います。

2013年 2/24

　ところで福島県にさしかかったころ、娘から送られてきたメールにはこう書かれていました。「お父さんがあの教会の牧師になったのは、この震災の時のためだと思う」と。私は、決めました。私はこの時のために、震災の日を誕生日にして生まれてきたのだ。そしてそうだとしたら、やるだけやってみよう、と。震災渦中を駆け抜けて、行けるところまで行ってみようとも。

　あの日から、前に進む以外は考えないと、決めました。自分の人生は、自分で決めることも。そもそも、あの頃前向き以外に費やすエネルギーの余裕はありませんでしたが。

　しかしこれは、なにも牧師である私に限った話ではないと思います。あれ程の震災に遭って、自分が何も変わらないのであれば、悲しすぎます。震災をくぐり抜けて人はみな、変えられるように思います。一生分泣いたなら、涙の谷を通った分だけ、その先に向かって変えられていくのだと思います。

　私たちは、神さまの慈しみを身いっぱいに受けて、はばたくのです。故郷に向かい飛び立とうとする、この翼の教会のように。少しでも一歩でも前へ、未来に向かい、天に向かって。

3章

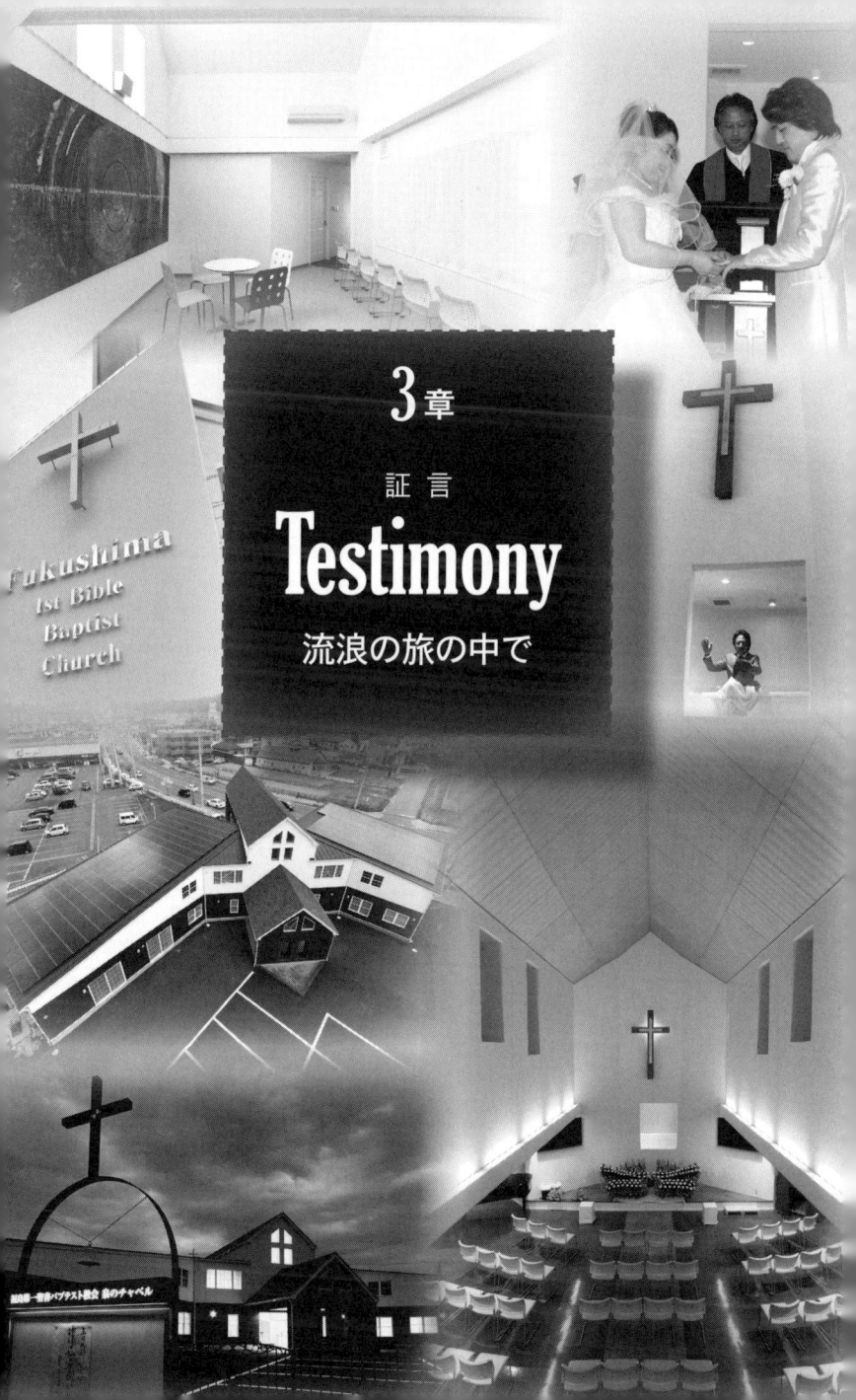

証言

Testimony

流浪の旅の中で

「ゆだねること」

立石 渚（福島第一聖書バプテスト教会教会員）

　3月11日は私の洗礼記念日。あの朝、洗礼から26年過ぎたことを思い起こし、これまで母教会で信仰を育まれ、訓練を受け派遣され、祈られ支えられていることへの感謝の祈りをささげました。

　そして午後、母教会である福島第一聖書バプテスト教会ではいつものように、毎週金曜午後2時からの祈り会が開かれていました。私は海外の自宅におり、祈りの課題をお知らせするためにメールを送った後、他のいくつかのメールを書いていた際、ふと地震を感じました。今思えば、日本の東北で起こった地震があんな遠くまで伝わるはずはなく、不思議なことですが。家の物は何も揺れていなかったので、気のせいだったかと思いつつ、メールを送信し終わり、日本のインターネットニュースを開いてみると、10分前に東北地方で地震があったと書いてあるのに目がとまり、その震度の大きさに驚きました。その後、津波や原発事故、数分おきに余震のニュースも入り、私はニュースから目が離せなくなりました。家族や教会の先生方に電話やメールをしてみましたが通じず、ショックと心配の中で「神さま、故郷の家族と教会の皆さんを守って下さい！」とただ祈るばかりでした。

　特に必死で祈った内容は、2年たった今もよく覚えています。「神さま、もしも今津波に遭い、死に直面している方がいるならば、どうかこの最後の時にイエスさまを見上げ、平安のうちに天国に迎え入れられますように！」。自分も水の中でもがいているような思いになって祈っていました。あの時、本当に母教会のひとりの姉妹が津波の中で天に召されていたとわかったのは、震災1か月後のことでした。

　翌日になって、幸いにも先生方とメール連絡が取れ始め、4日めに

はやっと両親や姉家族の無事もわかったため、その翌日出発して3月18日の飛行機で帰国しました。

　横浜にいて被災しなかった兄とともに翌朝車で出発して、父のいる福島県中通りに向かいました。父は地震により腰を痛めて避難所から運ばれ入院していたのです。デイサービスにいて被災し、ホームの職員の方々に助けられ、各地を転々として会津の施設に避難させてもらえていた母を訪ねることもできました。父は兄が横浜の自宅に連れて行くことになりましたが、認知症の母は起こった事態が理解できないようで、そのままその施設にお願いする他なく、父と母はあの震災の日を境に一緒に暮らすことができなくなりました。

　翌日3月21日、当時は非常に入手が困難だったガソリンを、新潟の牧師先生が私たちのために準備してくださるとのことなので、ご好意に甘えて新潟に向かいました。父と兄が横浜に向かった後、その牧師先生は車で往復約6時間もかけて、母教会の皆が5日前から避難している山形県米沢市の教会まで私を送ってくださいました。いったいどうしているかと心配していた母教会の皆さんは、過酷な状況を通って来たにもかかわらず、恵みに感謝しつつ笑顔で避難生活を送っていました。聞いてみると、皆神さまの不思議な守りや恵みを体験していたのでした。そこには沢山の救援物資が送り届けられ、その教会は本当に真心から約50名の母教会員を受け入れ、もてなしていて下さったのです。

　あの3月11日、私はすぐにも飛んで帰りたかったですが、交通も遮断されているようで、すぐに帰ったとしても、いつものように高速バスで故郷まで行くのは不可能でした。また、移動するよりも情報を得ることが先決と思い、留まることにしました。

　家族や教会の皆さんのために何にもすることができない。ただ祈る

ことしかできない。そのような中で、あの日、私は26年の信仰生活で初めて本当に「祈りを通して主にゆだねること」を教えられたように思います。

恵泉キリスト教会ミーコ記念ホール(山形県米沢市)

「めぐみのつばさ」

小山 睦（福島第一聖書バプテスト教会教会員）

2001年に7年のアメリカでの研究を終え帰国しました。その後英語教育を通してイエス様を伝えるというミッションをいただき、10年間その活動に従事いたしました。たくさんの方々のお働き、お祈り、ささげものがなければ、私ひとりでは到底ありえなかった10年の、それはそれは恵みにあふれた日々でした。しかし2011年3月11日、大震災と原発事故で、私はその生徒も建物も楽しかった時間のすべても失ってしまいました。自分が何者でもなくなってしまったかのような喪失感に、毎夜主になぜですか？ あんなに祝福をくださったのに、なぜ取り去られたのですか？ と尋ね、眠れぬ夜を重ねました。

いとこの家に2週間滞在させてもらった後、父と二人、富岡から一緒に避難してきた愛犬を飼えるアパートを捜しはじめましたが、まったく見つからず焦りを感じました。ある日、とある不動産屋で例外的に中型犬2匹を飼う許可を出してよいという部屋が奇跡のように与えられ、即座に契約し引っ越しました。

それが茨城県の取手市。去る3月9日、結婚の祝福に預った小山隆史さんの住んでいる街でした。出会いが与えられ、知り合っていく中で、主人は本当に素直に福音を受け入れ、見る見るうちにイエスさまの色になっていきました。そして一昨年の12月彼が洗礼を受けた時、この出会いについて、二人の感情だけではない、この歴史的な大きな天災と事故の渦の中で、思いがけず賜った天からの導きだという確信を得ました。私が震災で失ったものは大きいけれど、だからこそこの出会いがあり、救いがあり、その日天では御使いの賛美があふれていた事を思うと、失ったものと同じ、いやそれ以上のことを神さまは私にして

くださったのだと、感謝の思いでいっぱいでした。

　この翼の教会の完成に合わせていわき市に移り住むことを、いつの頃からか私たち二人は示され、そのように心を決めていました。思い起こせばアメリカにいた頃、永住を望み仕事も得ていましたが、根づくことのできる教会に出合えずにおり、佐藤先生にご相談申し上げると、「テープを送りますから、それで礼拝を守ってはどうですか？　この教会の礼拝につながっていなさいという、神さまからの不思議な促しかもしれませんね」とおっしゃって、何年もアメリカに礼拝テープを送り続けてくださいました。そして母の突然の死があり、私の計画とは異なり、そこでの研究と仕事を中断し帰国。再びこの教会に毎週通うようになりました。10年後、震災が起こりました。私はこの愛してやまない教会を永遠に失ってしまったのではないかと落胆し、また夫との出会いで、取手市にずっと住んで行くのかもしれないとも思いました。しかし、このように主からの新たな息吹と世界中の兄弟姉妹からのご支援を得て、教会はよみがえりました。夫も、この教会で主に仕えたいという思いを与えられ、いわきに引っ越そうよと言ってくれました。主はどうしても私をこの教会につなげておかれたいようです。このような小さくけがれた者にもあわれみをくださり、魂の憩いと成長の場所、奉仕の場所を与えたもう主に感謝します。

　私は震災ですべてを失ったと思いましたが、実は前とは違う、もしや前よりももっとすばらしいものを、しかも前の何倍も下さろうとしていると信じ、感謝しています。千田次郎先生（恵泉キリスト教会牧師）の「この教会は、前よりもよくなる。しかも、はるかによくなる」というおことばは、この夢のような会堂の完成で、いっそう真実味を帯びてきました。私たちは、前よりもよくなります。しかも、はるかによくなります。主に感謝と賛美をおささげします。

旅の終わりに

　このような日を迎えるとはゆめゆめ思いませんでした。このような日とは、700キロに及ぶ旅をして、故郷の南60キロにたどり着き、教会堂を建てるようになった日のことであり、ここに至るまでの2年余のまさかの道のりです。

　あの日、私たちの故郷では震度7弱の巨大地震に続き、高さ14メートルの大津波が押し寄せ、続く原発事故で翌12日には強制避難と、信じられない出来事が続きました。当初7万人が家を追われ、今では約15、6万人が県内外に避難しています。私たちも教会員が、津波などで4名亡くなり、翌年には避難先で2名が召されました。悲しみはいまだ癒えず、全国に散り散りになった方々を思うとき、言いようのない痛みがあります。

　あの日いったい誰が、海と山に囲まれたのどかな故郷、しかも新会堂を建設して程ない故郷を追われ、流浪の旅を繰り返すなど想像したでしょうか。しかもその後、新たな土地に翼の形の教会堂を建設するなどとは…。すべては、夢だったのでしょうか、それともこれも、神の国の物語だったのでしょうか。

　当初は、頭を下げないと眠る場所がなく、お願いしなければ食べていけないことが、情けなく思われました。けれどもやがて、遠くから近くから、教派の別なく、クリスチャンであるとないにもかかわらず、多くの方が駆けつけて来られました。震災は、さまざまな壁を取り除いたのでしょうか。そして一年前には、故郷ではないけれども同じ福島県に舞い戻ってきた私たちを、地元や諸教会が受け入れてくださいました。

この辺で、そろそろ旅を終わりにしたいです。飛行機や電車の中、時には道端に立ちつくして何かにつかれたかのように打ち続けたこの震災ダイアリーも、いよいよもってモバイルパソコンが勝手に強制終了を繰り返し、悲鳴を上げ始めました。終われ、終われと告げているのでしょうか。

　いずれにしても神さま、これまでの旅路の背後には、いつもあなたがおられました。だから物語は、ここまでつづられました。そして私たちはこれまでも、そしてこれからも、羊飼いであるあなたに導かれてきたことを、告白します。

「主は私の羊飼い。
私は、乏しいことがありません。
主は私を緑の牧場に伏させ、いこいの水のほとりに伴われます。
主は私のたましいを生き返らせ、御名のために、私を義の道に導かれます。たとい、死の陰の谷を歩くことがあっても、私はわざわいを恐れません。あなたが私とともにおられますから。
あなたのむちとあなたの杖、それが私の慰めです。……
まことに、私のいのちの日の限り、いつくしみと恵みとが、私を追って来るでしょう。
　私は、いつまでも、主の家に住まいましょう」

（詩篇 23 篇 1 ～ 4、6 節）
2013 年 5 月 29 日　バンクーバー発成田行き機内にて
牧師　佐藤　彰

Profile
佐藤 彰

1957年3月11日、山形市に生まれる。聖書神学舎卒業。
1982年、保守バプテスト同盟・福島第一聖書バプテスト教会牧師となる。
2011年3月11日東日本大震災に遭い、教会は一時閉鎖。
教会員と共に流浪の旅に出た。

著書に『「苦しみ」から生まれるもの』
『順風よし、逆境もまたよし』
『流浪の教会』『続流浪の教会』
(いずれもいのちのことば社刊)などがある。

【献金・支援金振込先】

ゆうちょ銀行　記号：18220　番号：16591
なまえ：フクシマダイイチセイショバプテストキョウカイ
＊ 他の金融機関から振込みの場合
店名：八二八(読み　ハチニハチ)
店番：８２８　預金種目：普通預金　口座番号：0001659

流浪の教会　完結編

翼 の 教 会
帰れない故郷を望みながら

2013年9月11日 発行

著者　佐藤　彰

装幀・デザイン　吉田　葉子

発行　いのちのことば社　マナブックス
164-0001　東京都中野区中野 2-1-5
編集　電話 03-5341-6952　FAX 03-5341-6932
営業　電話 03-5341-6920　FAX 03-5341-6921
ホームページ　http://www.wlpm.or.jp

聖書　新改訳 ©1970,1978,2003 新日本聖書刊行会
乱丁、落丁はお取り替えいたします。

© 2013　佐藤　彰
いのちのことば社
ISBN978-4-264-03126-0　C0016

好評発売中

流浪の教会

● 佐藤 彰 著 ●

福島原発が建設されるよりはるか昔に建てられた教会・福島第一聖書バプテスト教会。2011年3月11日、地震・津波・原発事故によって牧師・信徒たちは住む場所を失った。震災直前・直後の佐藤牧師のメッセージ、信徒たちの涙の証し、教会の歴史など収録。

ISBN：978-4-264-02935-9
定価 900 円（本体 858 円＋税）

続・流浪の教会

● 佐藤 彰 著 ●

3・11、地震・津波・原発によって原発にいちばん近い教会・福島第一聖書バプテスト教会の牧師、信徒たちは流浪の民となった。そして仮の住まい東京へたどり着いた。牧師や信徒は旅の中で何を思い、何を感じたのだろうか。流浪の教会の続編。

ISBN：978-4-264-02940-3
定価 900 円（本体 858 円＋税）

いのちのことば社